Magnet A1

Deutsch für junge Lerner
Arbeitsbuch mit Audio-CD

Giorgio Motta
bearbeitet von Ursula Esterl
und Silvia Dahmen (Phonetik)

Ernst Klett Sprachen Stuttgart

Magnet A1
Deutsch für junge Lerner

Arbeitsbuch mit Audio-CD

Giorgio Motta
bearbeitet von Ursula Esterl
und Silvia Dahmen (Phonetik)

1. Auflage 1 ⁵⁴³²¹| 2013 12 11 10 09

Alle Drucke dieser Auflage können im Unterricht nebeneinander benutzt werden, sie sind untereinander unverändert. Die letzten Zahlen bezeichnen jeweils die Auflage und das Jahr des Druckes.

Giorgio Motta
Magnet
Grundkurs für junge Lerner
italienische Ausgabe
© Loescher Editore, Turin 2007

Giorgio Motta
bearbeitet von Ursula Esterl
und Silvia Dahmen (Phonetik)
Magnet
Deutsch für junge Lerner
internationale Ausgabe
© Ernst Klett Sprachen GmbH, Stuttgart 2009
Alle Rechte vorbehalten
Internet: www.klett.de/magnet

Redaktion: Annette Kuppler, Elena Rivetti, Chiara Versino
Layoutkonzeption und Herstellung: Katja Schüch
Zeichnungen: Monica Fucini, Anikibobo, Turin
Fotos: Olaf Stemme, OS Medienservice, Oesterdeichstrich
Umschlaggestaltung: Daniel Utz, Stuttgart
Satz: Ulrike Eisenbraun, Metzingen
Repro: Meyle & Müller, Pforzheim
Druck: Firmengruppe APPL, aprinta druck, Wemding
Printed in Germany

ISBN: 978-3-12-676011-9

Inhalt

Lektion 0.1
Hallo!

1   **Was sagt man zur Begrüßung, was zur Verabschiedung? Ordne zu.**

Tschüss!   Guten Tag!   Grüß dich!   Auf Wiedersehen!   Servus!   Hallo!   Bis dann!   Tag!

Begrüßung	Verabschiedung

2   **Welche Schreibweise ist korrekt? Kreuze an.**

1. ☐ a Gruß dich!   ☐ b Grüß dich!   ☐ c Grüß dick!
2. ☐ a Hello!   ☐ b Hallo!   ☐ c Hallow!
3. ☐ a Tscüs!   ☐ b Tschusz!   ☐ c Tschüss!
4. ☐ a Guten Tag!   ☐ b Guden Tak!   ☐ c Gooden Tag!
5. ☐ a Auf Widersen!   ☐ b Auf Wiedersehen!   ☐ c Auf wieder Sehen!

3   **Wie heißen die Begrüßungen und Verabschiedungen? Notiere und vergleiche mit einem Spiegel.**

1. GUTEN TAG _____   4. AUF WIEDERSEHEN _____

2. GRÜß DICH _____   5. TSCHÜSS _____

3. HALLO _____   6. SERVUS _____

4   **Welche Antwort passt? Kreuze an.**

1. Hallo, Anna.   ☐ a Guten Tag, Frau Meier.   ☐ b Tschüss, Petra.
2. Guten Tag, Herr und Frau Beck.   ☐ a Bis bald, Verena.   ☐ b Grüß dich, Monika.
3. Auf Wiedersehen, Frau Stein.   ☐ a Tschüss, Nina.   ☐ b Hallo, Thomas.
4. Servus, Sebastian.   ☐ a Auf Wiedersehen, Herr Hoffmann.   ☐ b Tschüss, Nicki.
5. Tschüss, Tobias.   ☐ a Guten Tag, Frau Müller.   ☐ b Bis dann, Daniel.
6. Grüß dich, Markus.   ☐ a Tag, Herr Böhm.   ☐ b Servus, Sarah.

5 *Herr* oder *Frau*? Ergänze.

_____ Müller   _____ Böhm   _____ Schwarz

_____ Göbl   _____ Bönisch   _____ Weiß

6 *Namen für Mädchen, Namen für Jungen*. Markiere blau (Jungen) und rot (Mädchen).

Lena   Dominik   Sophie   Vanessa   Julian   Tim   Kim   Antonia   Leonie   Pascal   Nele   Jonas
Leon   Paula   Jasmin   Finn   Sara   Sebastian

7 Was sagt man wann? Ergänze.

a   `07:00`   *Guten Morgen!* _____

b   `17:30` _____

c   `10:30` _____

d   `22:30` _____

e   `19:15` _____

f   `14:30` _____

g   `08:15` _____

h   `24:00` _____

8 **Welche Schreibweise ist korrekt? Kreuze an.**

1. ☐ a Wie ghet's?   ☐ b Wi geht's?   ☐ c Wie geht's?
2. ☐ a Schlecht   ☐ b Sclecht   ☐ c Schleckt
3. ☐ a Sher gut   ☐ b Sehr goot   ☐ c Sehr gut
4. ☐ a Es geht   ☐ b Es get   ☐ c Es ghet
5. ☐ a Nickt so goot   ☐ b Nicht so gut   ☐ c Nict so gut

9 **Wie antwortest du? Ergänze.**

> Wie geht's?

10 **Wo hörst du ein *h*? Hör zu, lies mit und unterstreiche.** ▶ 1

▶ Hallo, Eva. Wie geht's dir?   ▶ Sehr gut, danke!
▶ Hallo, Marina. Wie geht's dir?   ▶ Nicht so gut.
▶ Hallo, Mike. Wie geht's dir?   ▶ Es geht.

11 **Hör zu und üb die Dialoge mit deinem Partner / deiner Partnerin.** ▶ 2

▶ Guten Tag, Frau Lang!
▶ Servus, Markus!
▶ Wie geht's?
▶ Nicht so gut.

▶ Guten Abend, Herr Köhler.
▶ Hallo, Julia!

▶ Auf Wiedersehen, Frau Stein.
▶ Tschüss, Markus. Bis morgen.

Lektion 0.2
Eins, zwei, drei

1 Was passt zusammen? Verbinde.

fünfzehn zwanzig **elf** siebzehn

drei zwölf **null** vierzehn **acht** achtzehn

17   3   11   14   0   20   12   15   18   8

2 Ergänze.

NE __ N   __ ÜNF   S __ __ BEN

EL __   VIE __ Z __ HN   ACH __

DR __ __ ZE __ N   S __ CH __   Z __ Ö __ F

Z __ AN __ IG   F __ __ FZ __ __ N   SI __ __ Z __ __ N

3 Welche Schreibweise ist korrekt? Kreuze an.

1. ☐ a zwai   ☐ b zwei   ☐ c szwai
2. ☐ a fünf   ☐ b funf   ☐ c füfn
3. ☐ a sieben   ☐ b siben   ☐ c siebn
4. ☐ a zen   ☐ b zhen   ☐ c zehn
5. ☐ a zölf   ☐ b zwolf   ☐ c zwölf
6. ☐ a dreizehn   ☐ b dreizen   ☐ c driezehn
7. ☐ a siebzen   ☐ b siebzehn   ☐ c siebensehn
8. ☐ a zwanzig   ☐ b zwanzich   ☐ c zwansig

4 Schreib die Zahlen in Buchstaben.

7 _____   5 _____

12 _____   17 _____

16 _____   20 _____

11 _____   0 _____

5   **6 aus 20. Hör zu und kreuze die Zahlen an.** ⊙ 3

Spiel 1									
1	2	3	4	5	6	7	8	9	10
11	12	13	14	15	16	17	18	19	20

Spiel 2									
1	2	3	4	5	6	7	8	9	10
11	12	13	14	15	16	17	18	19	20

Spiel 3									
1	2	3	4	5	6	7	8	9	10
11	12	13	14	15	16	17	18	19	20

6   **Notiere die Zahlen.**

sechsundzwanzig _____   zweiunddreißig _____

einhundertelf _____   fünfundsechzig _____

siebzig _____   siebenundneunzig _____

zweiundfünfzig _____   einhundertdreiundzwanzig _____

dreiundachtzig _____   zweihundertzwei _____

7   **Welche Zahl hörst du? Kreuze an.** ⊙ 4

a ☐ 12   ☐ 20   ☐ 22
b ☐ 13   ☐ 30   ☐ 33
c ☐ 14   ☐ 40   ☐ 44
d ☐ 15   ☐ 50   ☐ 55
e ☐ 16   ☐ 60   ☐ 66
f ☐ 17   ☐ 70   ☐ 77
g ☐ 18   ☐ 80   ☐ 88
h ☐ 19   ☐ 90   ☐ 99

8   ***-zehn*** oder ***-zig*? Ergänze.**

15 fünf_____   13 drei_____   90 neun_____   60 sech_____

50 fünf_____   18 acht_____   70 sieb_____   16 sech_____

14 vier_____   19 neun_____

9 **Was kostet das? Hör zu und kreuze an.** ⊙ 5

Situation 1:	☐ 19,20 €	☐ 90,20 €	☐ 20,90 €
Situation 2:	☐ 8,30 €	☐ 38,00 €	☐ 83,00 €
Situation 3:	☐ 150,00 €	☐ 115,00 €	☐ 105,00 €
Situation 4:	☐ 72,00 €	☐ 27,00 €	☐ 7,20 €
Situation 5:	☐ 250,00 €	☐ 200,50 €	☐ 520,00 €

Entschuldigung, was kostet das?

Das kostet …

10 **Hör zu und notiere die Handynummern.** ⊙ 6

Tobias Weigel   Martina   Eva Hoffmann   Sebastian

Handy: _____   Handy: _____   Handy: _____   Handy: _____

11 **Welche Zahlen findest du? Markiere.**

deschdreischckzehntüpzwanzigundßdänndreiundvierzigsönsktahundertiqwßzjneunziglä-

fiösfünfunddreißigajscvierundvierzigäickschsiebzehnkoaugzweihunderteinsderfaxüsk

12 **Wie viel ist . . .? Ordne die Ergebnisse zu.**

3 + 19 =
40 – 11 =
52 x 2 =
7 x 8 =
75 : 3 =
99 + 10 =
30 + 36 =
50 – 2 =

achtundvierzig

zweiundzwanzig

einhundertneun

neunundzwanzig

einhundertvier

fünfundzwanzig

sechsundfünfzig

sechsundsechzig

13 **Hör zu und verbinde die Punkte.** ⊙ 7

Was siehst du?

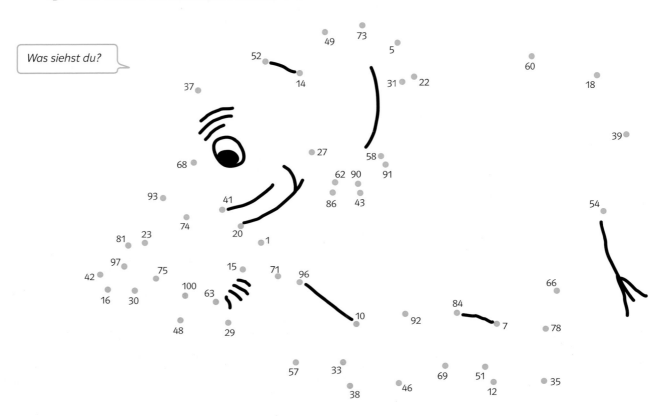

14 **Wo hörst du ein *ch* (wie in <u>ich</u>)? Hör zu, lies mit und unterstreiche.** ⊙ 8

▶ Hallo, ich heiße Michaela. Ich bin sechzehn Jahre alt, und du?
▶ Hallo, ich heiße Lukas. Ich bin achtzehn Jahre alt. Wie ist deine Telefonnummer?
▶ Sechshundertachtundzwanzig – fünfundsiebzig – sechsundsechzig.
▶ Wie?
▶ Zweiundsechzig – siebenundachtzig – sechsundfünfzig – sechs.
▶ Ich verstehe dich nicht!
▶ Ist doch ganz einfach! Sechs – zwei – acht – sieben – fünf – sechs – sechs.
▶ Ach so! Ich rufe dich morgen an.

Michaelas Telefonnummer: 6_____

Lektion 0.3
Was ist das?

1 **Was ist das? Fragt und antwortet wie im Beispiel.**

 1. Was ist das? Ein Computer?

Nein, eine Gitarre.

 2. Was ist das? Ein Buch?

Nein

 3. Was ist das? Ein Ball?

Nein

 4. Was ist das? Ein Kugelschreiber?

Nein

 5. Was ist das? Ein Telefon?

Nein

 6. Was ist das? Eine CD?

Nein

2 **Maskulin, neutral oder feminin? Ordne die Wörter aus Übung 1 zu.**

maskulin der / ein	neutral das / ein	feminin die / eine

3 **Hör zu und notiere die Preise.** ⊙ 9

_____ €   _____ €   _____ €   _____ €

_____ €   _____ €   _____ €   _____ €

4 Wie heißen die Farben? Ordne die Buchstaben.

tor _____   belg _____

wazrsch _____   gürn _____

weßi _____   naubr _____

laub _____

5 Was passt zusammen? Mal die Flaggen aus und ordne zu.

A
rot
weiß
rot

B
schwarz
rot
gold (gelb)

C
rot
gelb
rot

D		
grün	weiß	rot

E		
blau	weiß	rot

☐ 1. Deutschland
☐ 2. Frankreich
☐ 3. Italien
☐ 4. Österreich
☐ 5. Spanien

6 Wie heißt das auf Deutsch? Ergänze.

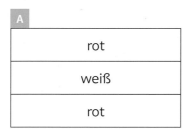  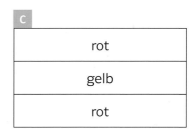

d _ _   S _ _ _ _ e   d _ _   _ _ t _   d _ _   B _ _ _ _   d _ _   _ _ c h

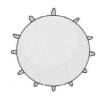  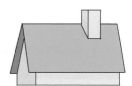
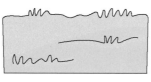 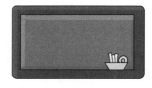 

d _ _   _ i e _ _   d _ _   T _ f _ _   d _ _   H _ _ m _ l

7 **Beantworte die Fragen.**

1. Was ist braun?   *Das Dach ist braun.* _____
2. Was ist gelb?   _____
3. Was ist schwarz?   _____
4. Was ist rot?   _____
5. Was ist blau?   _____
6. Was ist grün?   _____
7. Was ist weiß?   _____

8 **Hier sind 14 Wörter versteckt. Suche und notiere sie.**

E	C	A	K	G	E	R	M	E	R	A	I	C
U	G	B	U	C	H	E	S	A	T	L	E	D
A	D	E	G	D	E	F	U	M	R	E	B	N
M	C	H	E	F	T	I	B	R	T	S	G	P
D	P	A	L	E	A	G	A	U	T	O	I	A
O	R	C	S	D	F	P	L	S	E	E	T	C
R	E	A	C	R	E	H	L	M	I	U	A	R
D	A	C	H	D	L	I	P	E	C	T	R	G
G	C	R	R	C	O	M	P	U	T	E	R	I
S	P	E	E	A	L	M	E	D	G	L	E	L
D	G	C	I	G	M	E	R	U	I	E	A	C
A	S	D	B	E	P	L	C	A	E	F	D	U
B	W	I	E	S	E	S	D	M	P	O	G	R
E	M	C	R	D	S	O	N	N	E	N	U	I

9 **Maskulin, neutral oder feminin? Ordne die Wörter aus Übung 8 zu.**

maskulin der / ein	neutral das / ein	feminin die / eine

10 Welches Wort ergeben die Bilder? Nutze das Alphabet im Kursbuch und ordne zu.

1.
2.
3.
4.
5.
6.

a Telefon   b Wiese   c Himmel   d Nacht   e schwarz   f Tafel

11 Buchstabiere die Wörter wie im Beispiel.

der Himmel: H wie Hotel – I wie Insel – M wie …

1. das Telefon   5. der Ball
2. die Gitarre   6. die Wiese
3. der Computer   7. das Dach
4. das Heft   8. die Sonne

12 Alphabet-Spiel. Ein Mitschüler sagt sehr leise das Alphabet auf, ein anderer ruft Stopp. Sammelt Wörter mit dem Buchstaben. Wer zuerst 3 Wörter hat, hat gewonnen.

Beispiel: S
Saft, schwarz, sieben

13 Wer ist das? Hör zu und kreuze an. ▸ 10

1. ☐ Hilka   ☐ Ilka
2. ☐ Hanna   ☐ Anna
3. ☐ Hulla   ☐ Ulla
4. ☐ Helena   ☐ Elena
5. ☐ Holger   ☐ Olga

Lektion 0.4
München, Frankfurt, Berlin

1 **Ergänze die Städtenamen.**

_ ü _ _ _ _ e n   W _ _ _ _   H _ _ b _ _ _ g   _ _ _ _ l _ n

_ ö _ n   F _ _ _ _ _ _ _ _ _ _   Z ü _ _ _ _ _   S _ _ z _ _ _ _ g

2 **Auf Reisen. Wo treffen sich Familie Beck und Familie Maier? Markiere.**

Familie Beck

LEIPZIGBERLINHAMBURGKÖLNFRANKFURTSTUTTGARTMÜNCHEN

Familie Maier

BERNZÜRICHINNSBRUCKMÜNCHENSALZBURGWIEN

3 **Richtig (R) oder falsch (F)? Kreuze an.**

	R	F
1. Innsbruck liegt in Deutschland.	☐	☐
2. Berlin liegt in Deutschland.	☐	☐
3. Köln liegt in Österreich.	☐	☐
4. Salzburg liegt in der Schweiz.	☐	☐
5. Zürich liegt in der Schweiz.	☐	☐
6. Frankfurt liegt in Deutschland.	☐	☐
7. München liegt in Österreich.	☐	☐
8. Wien liegt in Österreich.	☐	☐

Hamburg

Berlin

Düsseldorf

Leipzig

Köln

Frankfurt

Stuttgart

München

Wien

Salzburg

Zürich

Innsbruck

Bern

4 **Beantworte die Fragen.**

1. Wo liegt München? _____

2. Wo liegt Wien? _____

3. Wo liegt Innsbruck? _____

4. Wo liegt Köln? _____

5. Wo liegt Zürich? _____

6. Wo liegt Bern? _____

7. Wo liegt Frankfurt? _____

8. Wo liegt Hamburg? _____

5 **Antworte wie im Beispiel.**

1. Liegt München in Süddeutschland? *Ja, München liegt in Süddeutschland.*

2. Liegt Hamburg in Süddeutschland? *Nein, Hamburg liegt in Norddeutschland.*

3. Liegt Leipzig in Westdeutschland? _____

4. Liegt Düsseldorf in Westdeutschland? _____

5. Liegt Berlin in Norddeutschland? _____

6. Liegt Köln in Ostdeutschland? _____

7. Liegt Stuttgart in Norddeutschland? _____

8. Liegt Frankfurt in Ostdeutschland? _____

6 **Erkennst du die Länder? Ordne zu.**

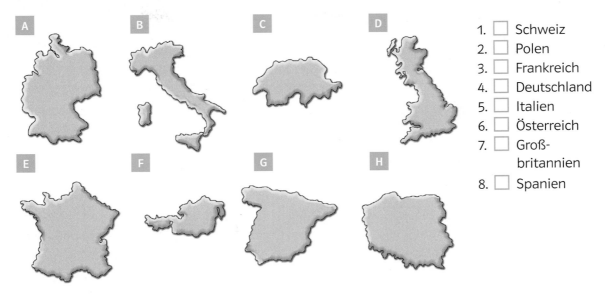

1. ☐ Schweiz
2. ☐ Polen
3. ☐ Frankreich
4. ☐ Deutschland
5. ☐ Italien
6. ☐ Österreich
7. ☐ Groß-
   britannien
8. ☐ Spanien

7 **Ergänze wie im Beispiel.**

Rom *ist die Hauptstadt Italiens.* _____

Berlin _____

Wien _____

London _____

Bern *ist die Hauptstadt der Schweiz.* _____

Paris _____

Madrid _____

Warschau _____

8 **Wo wohnen die Personen? Hör zu und verbinde.** ⊚ 11

 **Thomas**

Rita

 **Markus**

Frau Kohl

 **Herr Berger**

 **Melanie**

Frankfurt   Köln   München   Innsbruck   Hamburg   Leipzig

9 **Ergänze die Sätze.**

Markus *wohnt in Frankfurt.*

Thomas _____

Melanie _____

Herr Berger _____

Rita _____

Frau Kohl _____

10 **Welche Antwort passt? Verbinde.**

1. Wo wohnst du?
2. Wo liegt Hanau?
3. Liegt München in Norddeutschland?
4. Wo wohnt Herr Kohl?
5. Wie heißt die Hauptstadt Österreichs?
6. Wohnst du in Zürich?

a   Nein, in Süddeutschland.
b   Ich wohne in Innsbruck.
c   Wien.
d   Bei Frankfurt.
e   Nein, ich wohne in Leipzig.
f   Er wohnt in der Schweiz.

11 **Ergänze die Endungen.**

Beispiel: Ich wohn**e** in Bern. Du wohn**st** in Stuttgart. Paul wohn**t** in Wien.

1. Ich wohn____ in Istanbul.

2. Wo wohn____ du? Wohn____ du in Frankreich?

3. Markus wohn____ in Frankfurt.

4. Ich wohn____ in München und Melanie wohn____ in Köln.

5. Thomas wohn____ in Hamburg. Wohn____ du auch in Hamburg?

12 **Hör zu und ergänze die Wörter mit *ü* oder *ö*.** ⊙ 12

1. Z___rich   2. L___we   3. M___nchen   4. f___nf   5. K___ln

6. ___sterreich   7. S___ddeutschland   8. zw___lf   9. N___rnberg   10. sch___n

13 **Hör zu und üb die Dialoge mit deinem Partner / deiner Partnerin.** ⊙ 13

▶ Wo liegt Hamburg?
▷ Hamburg liegt in Norddeutschland.

▶ Ist Wien die Hauptstadt Österreichs?
▷ Ja, Wien ist die Hauptstadt Österreichs.

▶ Wo wohnst du?
▷ Ich wohne in Hanau.
▶ Und wo liegt Hanau?
▷ Bei Frankfurt.

Ich kann ...

einfache Sätze über Gegenstände verstehen.

LESEN

Richtig (R) oder falsch (F)? Lies und kreuze an.

	R	F
1. Die Sonne ist gelb.	☐	☐
2. Der Himmel ist rot.	☐	☐

Mein Bild ist sehr schön: Der Himmel ist rot und die Sonne ist grün. Die Wiese ist blau und der Ball ist braun und gelb.

den Preis eines Gegenstandes verstehen, wenn ich selbst danach frage.

HÖREN

Was kostet das? Hör zu und kreuze an. ⊙ 14

1. Die Gitarre kostet ☐ a 195,00 € ☐ b 190,00 €.

2. Das Telefon kostet ☐ a 42,00 € ☐ b 24,00 €.

jemanden fragen, wie es ihm geht, und selbst auf die Frage antworten.

AN GESPRÄCHEN TEILNEHMEN

Frag deinen Partner / deine Partnerin, wie es ihm / ihr geht. Antworte ihm / ihr.

meinen Namen buchstabieren.

ZUSAMMENHÄNGEND SPRECHEN

Buchstabiere deinen Namen.

Beispiel: Ich heiße Daniel Hofmann. – D-a-n-i-e-l (oder D wie Dach, A wie ...)

Namen von Städten schreiben.

SCHREIBEN

Schreib die Städtenamen richtig.

Sugrablz _____

Frufkanrt _____

1 Ergänze die Dialoge.

Peter, 12, München

▶ _____ ?

▶ Ich heiße Peter.

▶ Wie alt bist du?

▶ _____ .

▶ _____ ?

▶ Ich wohne in München.

Laura, 14, Berlin

▶ Wie heißt du?

▶ _____ .

▶ _____ ?

▶ Ich bin vierzehn.

▶ Wo wohnst du?

▶ _____ .

Tina, 13, Hamburg

▶ _____ ?

▶ _____ .

▶ _____ ?

▶ _____ .

▶ _____ ?

▶ _____ .

2 Ergänze: *heiße* oder *heißt*?

1. ▶ Heiß___ du Tobias?

   ▶ Ja, ich heiß___ Tobias.
      Und wie heiß___ du?

2. ▶ Ich heiß___ Martina. Und du?

   ▶ Ich heiß___ Marion.

3 Was antwortet Lara? Ordne den Dialog.

1. Hallo. Ich heiße Patrick. Wie heißt du?
2. Lara, wie alt bist du?
3. Und wo wohnst du?
4. Wo liegt Klagenfurt?
5. Ach so. Tschüss Lara, bis morgen.

a Ich bin 13.
b Tschüss Patrick.
c Klagenfurt liegt in Österreich.
d Ich wohne in Klagenfurt.
e Ich heiße Lara.

4   **Ergänze: *bin* oder *bist*?**

1. ▶ Wer _____ du? _____ du Timo?   ▶ Nein, ich _____ Erik.

2. ▶ Ich _____ Silke. Ich _____ 14. Wie alt _____ du?   ▶ Ich _____ auch 14.

3. ▶ _____ du 13?   ▶ Nein, ich _____ 12.

5   **Ergänze die Verben in der passenden Form.**

1. ▶ Hallo! Ich _____ Julia.   ▶ Ich _____ Nina. (heißen)

    Und wie _____ du?

2. ▶ Wer _____ du?   ▶ Ich _____ Max Weber. (sein)

3. ▶ Wie alt _____ du?   ▶ Ich _____ 13. Und du? (sein)

4. ▶ Wo _____ du?   ▶ Ich _____ in Potsdam, in der Nähe von Berlin. (wohnen)

6   **Wie ist die Handynummer von . . .? Hör zu und kreuze an.** ▶ 15

1. Die Handynummer von Oliver ist
- ☐ a   0170 3789411
- ☐ b   0170 7398411
- ☐ c   0170 3799441

2. Die Handynummer von Martina ist
- ☐ a   0168 5665771
- ☐ b   0168 5656711
- ☐ c   0168 6556177

3. Die Handynummer von Lukas ist
- ☐ a   0171 1770669
- ☐ b   0171 7170699
- ☐ c   0171 1717669

7   **Wo wohnen die Personen? Bilde Sätze.**

Herr Schulz   Frau Bauer   Christian   Andreas   Monika

in der Kaiserstraße   in der Beethovenstraße   am Goetheplatz   am Platz der Republik   in der Bahnhofstraße

1. Herr Schulz wohnt _____

2. Frau Bauer _____

3. _____

4. _____

5. _____

8   **Zur Kontrolle: Hör zu und vergleiche.** ▶ 16

9 **Bilde Fragen.**

1. Berlin / du / in / wohnst ? _____

2. Handynummer / deine / ist / wie ? _____

3. Kaiserstraße / in / wohnst / der / du ? _____

4. Erlangen / Nürnberg / bei / liegt ? _____

5. eine / du / hast / E-Mail-Adresse ? _____

10 **Wie heißen die Länder? Ergänze.**

1. _ _ A _ K _ _ I C _   4. D _ _ T _ _ H _ _ _ D   7. G R _ _ _ _ _ E _ L _ _ _

2. _ S _ E _ _ _ I _ H   5. _ T A _ _ _ _ _   8. T _ _ K _ _

3. S _ _ W _ _ Z   6. S _ _ _ _ E N   9. _ O _ _ N

11 **Woher kommen die Jugendlichen? Notiere Sätze.**

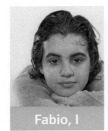
Fabio, I

Jean Pierre, F

Jane, GB

Carmen, E

Robert, CH

Ali, TR

Fabio kommt aus Italien. Jean Pierre _____

12 *Wo* oder *woher*? **Ergänze die Fragen und antworte.**

1. _____ wohnst du? _____

2. _____ kommt John? _____

3. _____ liegt Erlangen? _____

4. _____ wohnt Fatma? _____

5. _____ kommst du? _____

13 **Was passt zusammen? Ordne zu.**

1. Wohnt Jan in Köln?   a Sie kommt aus Spanien.
2. Woher kommt Carmen?   b Nein, in Berlin.
3. Heißt du Hannes?   c Ich bin Paula.
4. Wo wohnt Frau Kahn?   d Nein, ich heiße Michael.
5. Wer bist du?   e Nein, ich komme aus der Schweiz.
6. Kommst du aus Italien?   f In Zürich.

14 Ergänze: *komme, kommst, kommt? wohne, wohnst, wohnt?*

1. Ich _____ in der Garibaldistraße.

2. Woher _____ Patrick?

3. _____ du in Nürnberg? Nein, ich _____ in Erlangen.

4. Francesca _____ aus der Schweiz, aber sie _____ in Italien, in Como.

5. Woher _____ du? Ich _____ aus Deutschland.

6. Fatma _____ in Erlangen.

15 Hör zu und ergänze die Tabelle. ⊙ 17

Name			
Herkunft			
Wohnort			

16 Eine E-Mail von Karolina. Lies und ergänze.

dreizehn   E-Mail-Adresse   geboren   Hallo   heiße   Polen   Nähe   wohne

Hallo, ich (1) _____ Karolina. Ich bin (2) _____ Jahre alt

und (3) _____ in Baden. Das ist eine kleine Stadt in der

(4) _____ von Wien. Meine Eltern kommen aus

(5) _____ , aber ich bin in Österreich (6) _____ . Meine

E-Mail-Adresse ist: caro@yahoo.com.

Schreib mir bitte bald!

17 Hör zu und mal eine Linie über die Frage wie im Beispiel. ⊙ 18

Beispiel: Wie heißt du?

1. Woher kommst du?   2. Wer bist du?   3. Wie alt bist du?

4. Wo wohnst du?   5. Wo liegt das?

1   **Wie heißen die Aktivitäten? Ergänze das Rätsel.**

spielen

fahren

spielen

Deutsch

Comics

Das Hobby von Anna ist: _____ spielen.

2   **Was passt zusammen? Ordne zu.**

Sport	lernen
im Internet	spielen
ein Instrument	lesen
Deutsch	treiben
Rad	surfen
Musik	fahren
Comics	hören

ein Instrument spielen, _____

_____

3 Was magst du, was magst du nicht? Ergänze Aktivitäten.

_____
_____
_____

_____
_____
_____

4 Was machst du in deiner Freizeit gern? Antworte wie im Beispiel.

sehr gern (++)   gern (+)   nicht so gern (-)   gar nicht gern (--)

1. Spielst du gern Volleyball? *Ja, ich spiele sehr gern Volleyball.*
   Nein, ich spiele nicht so gern Volleyball.

2. Siehst du gern fern? _____

3. Schwimmst du gern? _____

4. Surfst du gern im Internet? _____

5. Fährst du gern Rad? _____

6. Spielst du gern Tennis? _____

7. Hörst du gern Musik? _____

8. Treibst du gern Sport? _____

5 Schreib eine kurze Antwort.

Also, in meiner Freizeit _____

_____

_____

_____

_____

_____

_____

> Was machst du in deiner Freizeit?

6 **Was sagen Oliver und Steffi über ihre Hobbys? Wer sagt was? Hör den Text aus dem Kursbuch noch einmal und ergänze die Namen.** ⊙ 19

1. Ich spiele Gitarre.   _____

2. Ich treibe keinen Sport.   _____

3. Ich spiele kein Instrument. _____

4. Ich habe nicht so viel Freizeit. _____

5. Ich mag Musik.   _____

6. Ich lese gern.   _____

7 **Ordne den Dialog.**

1	Was machst du in deiner Freizeit?		Wow, du bist in einer Band, das ist cool! Und was findest du nicht so gut?
	Oh, ich bin leider nicht sehr sportlich. Bist du in einer Mannschaft?		Musik finde ich gut. Spielst du auch ein Instrument?
	Ich höre sehr gern Musik.		Ich spiele gern Fußball.
	Ja, ich spiele Keyboard in einer Band.		Ja, ich spiele in der Schulmannschaft. Und was ist dein Hobby?
	Comics, ich finde Comics langweilig.		

8 *Er* oder *sie*? **Verbinde.**

Oliver   Steffi   Frau Weigel

(ER)   (SIE)

Herr Schulz   Martina   Tobias

9 *Er* oder *sie*? **Ergänze.**

1. Karin liest gern. _____ mag Comics.

2. Tobias treibt viel Sport. _____ spielt Handball und Tennis.

3. Peter surft gern im Internet. _____ findet das Internet super.

4. Angelika ist sehr sportlich. _____ fährt gern Rad.

5. Sara mag Fremdsprachen. _____ lernt Französisch.

6. Florian mag Musik. _____ spielt Gitarre.

10 Was machen die Jugendlichen in ihrer Freizeit? Schreib Sätze wie im Beispiel

MARINAHÖRTGERNMUSIK.ALEXANDERSPIELTTENNIS.BOJANFÄHRTRAD.LARISSASIEHTFERN.

DULERNSTFREMDSPRACHEN.FRANZISKASPIELTGITARREINEINERBAND.ADAMLIESTCOMICS.

UNDICHSURFEOFTIMINTERNET.

Marina hört gern Musik.

11 Was macht Fatma in ihrer Freizeit? Ergänze.

möchte   mag   lernt   spricht   lernt

In ihrer Freizeit (1) _____ Fatma Fremd-

sprachen. Sie (2) _____ Fremdsprachen.

Sie (3) _____ perfekt Deutsch und

Türkisch. Aber sie (4) _____ auch

Englisch und Französisch. Sie (5) _____

später Dolmetscherin werden.

12 Ergänze die Tabelle.

	spielen	hören	lernen	schwimmen
ich				
du				
er, sie				

	sehen	lesen	sprechen	fahren
ich				
du		*liest*		*fährst*
er, sie	*sieht*			

13 **Stell die Personen vor.**

Name	Klaus Weber	Justine Dupont	Timo & Ingo
Alter	40	32	14
Wohnort	München	Lyon / Frankreich	Pinneberg / Hamburg
Sprachen	Deutsch, Englisch	Französisch, Italienisch	Deutsch, Englisch
Hobbys	Rad fahren	Musik, joggen	Internet, fernsehen

Das ist Herr Weber. Er ist 40 Jahre alt. Er wohnt _____

_____

Das ist Frau Dupont. Sie _____

_____

Das sind Timo und Ingo. Sie sind _____

_____

14 **Wo wohnen die Personen? Welche Sprachen sprechen sie? Bilde Sätze.**

Heidi Klum — USA

Papst Benedikt XVI. — I

Prinz William — GB

Carla Bruni — F

Lukas Podolski — D

Rafael Nadal — E

spricht

Deutsch   Italienisch   Spanisch   Englisch   Französisch   Polnisch

Heidi Klum wohnt in den USA. Sie spricht Englisch und Deutsch.

_____

15 Wie spricht man die Sprachen? Hör zu und kreuze an. Ergänze andere Sprachen und das Akzentmuster. ⊙ 20

	●	●·	·●·	
Französisch				
Englisch				
Deutsch				
Russisch				
Polnisch				
Arabisch				
Türkisch				
Spanisch				
…				

16 Hör zu und ergänze die Tabelle. ⊙ 21

Name		
Alter		
Wohnort		
Sprachen		
Hobbys		

17 Was passt zusammen? Ordne zu.

1. Fatma spricht perfekt
2. Welche Sprachen
3. Natalie kommt
4. Zwölf Personen in meiner Klasse
5. Patrick wohnt in München,
6. Petra und Karin spielen Volleyball

a sprichst du?
b spielen ein Instrument.
c Türkisch und Deutsch.
d in der Schulmannschaft.
e aus der Schweiz.
f aber er ist in Österreich geboren.

Ich kann ...

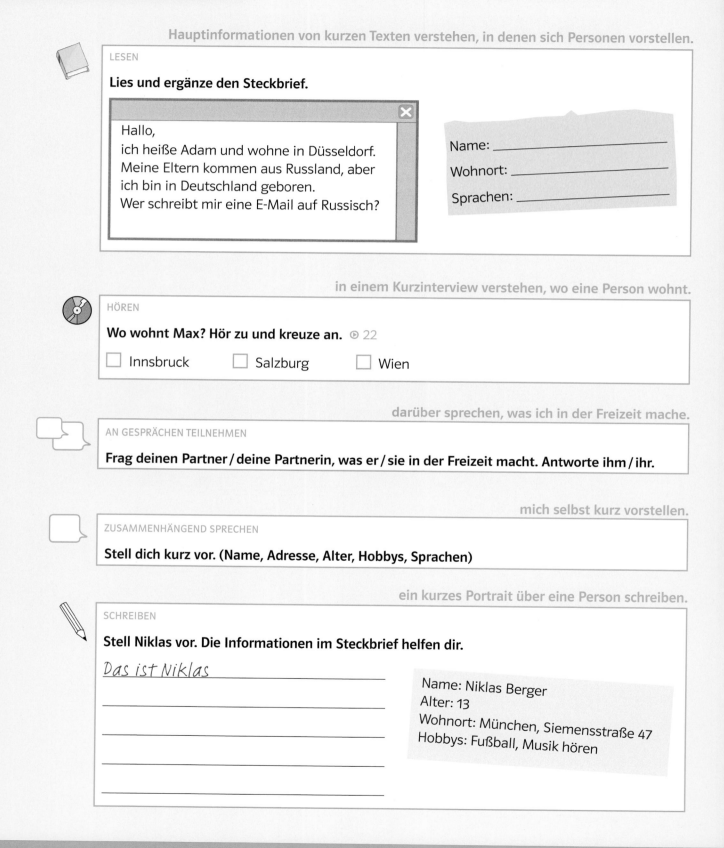

Hauptinformationen von kurzen Texten verstehen, in denen sich Personen vorstellen.

LESEN

Lies und ergänze den Steckbrief.

Hallo,
ich heiße Adam und wohne in Düsseldorf.
Meine Eltern kommen aus Russland, aber
ich bin in Deutschland geboren.
Wer schreibt mir eine E-Mail auf Russisch?

Name: _____

Wohnort: _____

Sprachen: _____

in einem Kurzinterview verstehen, wo eine Person wohnt.

HÖREN

Wo wohnt Max? Hör zu und kreuze an. ⊚ 22

☐ Innsbruck   ☐ Salzburg   ☐ Wien

darüber sprechen, was ich in der Freizeit mache.

AN GESPRÄCHEN TEILNEHMEN

Frag deinen Partner / deine Partnerin, was er / sie in der Freizeit macht. Antworte ihm / ihr.

mich selbst kurz vorstellen.

ZUSAMMENHÄNGEND SPRECHEN

Stell dich kurz vor. (Name, Adresse, Alter, Hobbys, Sprachen)

ein kurzes Portrait über eine Person schreiben.

SCHREIBEN

Stell Niklas vor. Die Informationen im Steckbrief helfen dir.

Das ist Niklas _____

_____

_____

_____

_____

Name: Niklas Berger
Alter: 13
Wohnort: München, Siemensstraße 47
Hobbys: Fußball, Musik hören

Lektion 3
Vati, Mutti & Co.

1 **Was passt zusammen? Ordne zu.**

1. Wer ist das?
2. Wie heißt deine Schwester?
3. Ist das dein Vater?
4. Wie alt ist dein Bruder?
5. Wie viele seid ihr zu Hause?
6. Hast du einen Hund?

a Ja.
b Wir sind vier Personen.
c Sie heißt Sylvia.
d Er ist 13.
e Ja, und auch ein Meerschweinchen.
f Das ist meine Oma.

2 *Der* oder *die*? Ergänze.

1. Das ist _____ Bruder von Oliver.

2. _____ Schwester von Oliver heißt Anna.

3. Herr Meier ist _____ Vater von Markus.

4. _____ Mutter von Oliver heißt Angelika.

5. Wie heißt _____ Opa von Oliver?

6. Heißt _____ Oma von Max Julia?

3 **Die Familie von Oliver. Wer ist wer? Ordne zu und bilde Sätze.**

die Eltern von Oliver   der Vater von Oliver   die Großeltern von Oliver   die Geschwister von Oliver
die Oma von Oliver   der Onkel von Oliver   die Tante von Oliver

Günter

Luise (Mutter von Angelika)

Günter und Angelika

Luise und Heinrich

Florian und Anna

Katrin (Schwester von Angelika)

Thomas (Bruder von Angelika)

1. *Günter ist* _____

2. *Günter und Angelika sind* _____

3. _____

4. _____

5. _____

6. _____

7. _____

4 **Wer ist das? Schau dir den Stammbaum an und ergänze.**

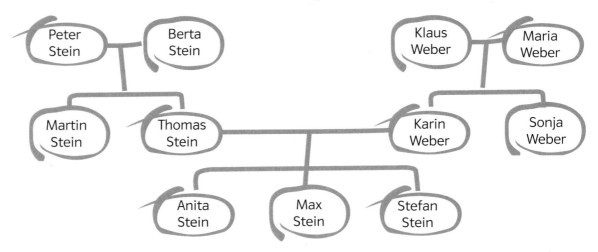

1. Sie ist die Mutter von Thomas Stein. _____

2. Er ist der Onkel von Anita Stein. _____

3. Sie ist die Oma von Stefan Stein. _____

4. Sie ist die Schwester von Karin Weber. _____

5. Er ist der Vater von Max Stein. _____

6. Er ist der Opa von Anita Stein. _____

7. Sie ist die Tante von Max Stein. _____

8. Er ist der Bruder von Martin Stein. _____

5 ***Er* oder *sie*? Verbinde.**

Bruder   Oma   Opa   Schwester

Mutter   Onkel   Vater   Tante

6 ***Dein* oder *deine*? Ergänze.**

1. Heißt _____ Oma Renate?   Nein, sie heißt Beate.

2. Heißt _____ Bruder Werner?   Ja, er heißt Werner.

3. Heißt _____ Mutter Karin?   Nein, sie heißt Katja.

4. Heißt _____ Vater Anton?   Ja, er heißt Anton.

5. Heißt _____ Hund Trixi?   Nein, er heißt Tixi.

6. Heißt _____ Katze Mautzi?   Ja, sie heißt Mautzi.

7 Deine Familie. Beantworte die Fragen.

1. Wie heißt deine Oma? _____

2. Wie alt ist dein Opa? _____

3. Wie heißen deine Eltern? _____

4. Wohnt dein Vater in München? _____

5. Wie viele seid ihr zu Hause? _____

8 Wer hat Geschwister? Bilde Sätze.

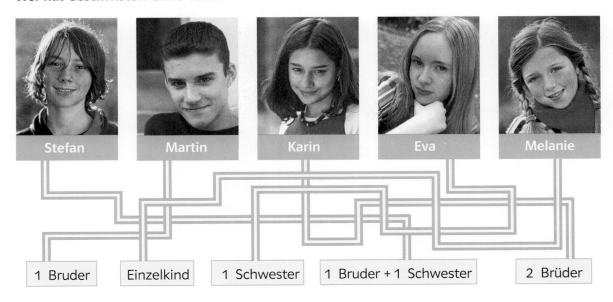

| Stefan | Martin | Karin | Eva | Melanie |

| 1 Bruder | Einzelkind | 1 Schwester | 1 Bruder + 1 Schwester | 2 Brüder |

Stefan hat / ist _____

_____

9 _Einen_ oder _eine_? Ergänze.

1. Ich habe _____ Bruder.

2. Karin hat _____ Oma in Spanien.

3. Tina hat _____ Tante.

4. Susi hat nur _____ Opa.

5. Hast du Geschwister? Ja, _____ Schwester.

6. Ich habe _____ Onkel. Er wohnt in Berlin.

10 **Interviews. Hör zu und ergänze die Tabelle.** ⏵ 23

	Name	Alter	Wohnort	Geschwister

11 **Wie heißen die Tiere auf Deutsch? Notiere.**

1. _____

2. _____

3. _____

4. _____

5. _____

6. _____

7. _____

8. _____

12 **Bilde Sätze wie im Beispiel.**

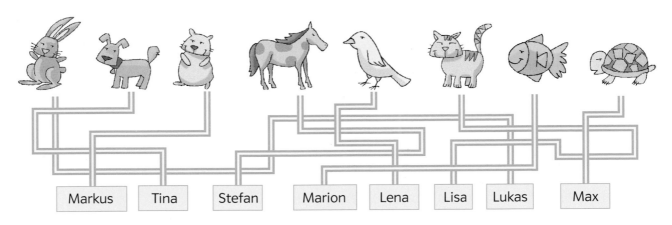

Markus   Tina   Stefan   Marion   Lena   Lisa   Lukas   Max

▶ Hat Markus einen Hamster?　　▶ Ja, er hat einen Hamster.

　　　　　　　　　　　　　　　▶ Nein, er hat keinen Hamster. Er hat ein / eine …

1. Hat Tina eine Katze? _____

2. Hat Stefan ein Pferd? _____

3. Hat Marion einen Goldfisch?_____

4. Hat Lena einen Kanarienvogel? _____

5. Hat Lisa ein Kaninchen? _____

6. Hat Lukas einen Hund? _____

7. Hat Max eine Schildkröte? _____

13 Antworte wie im Beispiel.

1. Hast du einen Hund? *Einen Hund? Ich habe viele Hunde!* _____

2. Hast du ein Pferd? _____

3. Hast du einen Hamster? _____

4. Hast du eine Katze? _____

5. Hast du einen Kanarienvogel? _____

6. Hast du einen Goldfisch? _____

7. Hast du eine Schildkröte? _____

8. Hast du ein Kaninchen? _____

14 *Er, es, sie*? Verbinde.

das Pferd   die Katze   der Hamster   der Kanarienvogel

ER   ES   SIE

die Schildkröte   der Goldfisch   der Hund   das Kaninchen

15 Hör zu, kombiniere die Informationen und bilde Sätze. ⊚ 24

Martin	Pferd	Mieze
Susi	Goldfisch	Black
Annette	Kanarienvogel	Wind
Tobias	Hund	Splasch
Florian	Katze	Gelbi

Martin hat einen Hund. Er heißt Black. _____

_____

16 **Bilde Sätze wie im Beispiel.**

1. Marina – ILSCHDKÖTRE – TEKAZ
2. Andreas – NARKAIENGEVOL – NDHU
3. Julia – GLDOSCHFI – NAKINNECH
4. Christoph – STERMHA – 2 NARKANÖIEGEVL
5. Stella – RUBDER – DEPRF

1. *Marina hat eine Schildkröte, aber sie möchte gern eine Katze.*
2. _____
3. _____
4. _____
5. _____

17 **Mein Haustier. Ergänze die E-Mail von Maxi und schreib eine Antwort.**

Hallo Carina,

heute schreibe ich über mein Haustier. Ich habe

_____ . _____ heißt

_____ und ist _____ alt.

Sie ist _____ und _____ und

total süß. Ich _____ sehr oft mit ihr, das mag

sie gern. Magst du Haustiere? Hast du auch ein Haustier?

Schreib bald!
Dein(e) Maxi

eine Katze
Mini
3 Jahre
schwarz und weiß
spielen

Hallo Maxi,

_____
_____
_____
_____

18 **Maskulin, neutral oder feminin? Ordne zu.**

Hund Bruder Oma Schildkröte Einzelkind Goldfisch Onkel Opa Tante Katze
Kaninchen Pferd Schwester Hamster Mutter Haustier

maskulin der / ein	neutral das / ein	feminin die / eine

19 **Ordne den Dialog.**

1. Hallo Elias. Ist das dein Hund?
2. Oh ja, sehr. Ich mag Meerschweinchen.
3. Ja, er heißt Wotan.
4. Zwölf.
5. Nein, leider nicht, aber ich möchte so gerne ein Meerschweinchen oder eine Katze.
6. Wotan? Na ja, er ist total süß. Wie alt ist er denn?
7. Wow, das ist ja ganz schön alt! Was macht er den ganzen Tag?
8. Ach, Meerschweinchen finde ich ein bisschen langweilig. Hast du ein Haustier?
9. Er ist noch sehr aktiv: er geht gern spazieren und wir spielen viel. Magst du Tiere?

1								

20 **Hör zu und lies mit.** ⏵ 25

Katze – Kasse
Schutz – Schuss
Ritz – Riss
hetzen – Hessen
reizen – reißen
Mützen – müssen

21 **Hör zu und unterstreiche in Übung 20 jeweils das Wort, das du hörst.** ⏵ 26

Lektion 4
Meine Freunde

1 Hör zu und verbinde. ▶ 27

Olivers bester Freund

··Com··

heißt Markus
ist in Erlangen zu Hause
ist Tanja
wohnt in Nürnberg
geht in die Klasse 7b
ist 14 Jahre alt
ist in der Klasse 8a
mag Musik
ist Fan vom 1. FC Nürnberg
telefoniert gerne

Steffis beste Freundin

2 Beantworte die Fragen. Bilde Sätze.

1. Wie heißt der beste Freund von Oliver?

   Der beste Freund von Oliver heißt Markus.

2. Wo wohnt er?

   _____

3. Was macht er in seiner Freizeit?

   _____

4. Wohin geht er manchmal mit Oliver?

   _____

5. Wie heißt die beste Freundin von Steffi?

   _____

6. Wie alt ist sie?

   _____

7. In welcher Klasse ist sie?

   _____

8. Hat sie ein Handy?

   _____

3 Wie bist du? Finde 12 Adjektive und notiere sie.

COOLGFRGEDULDIGJKPLUSTIGNBESYMPATHISCHPOLAUNISCHKSASCHÜCHTERNUKHILFSBE-
REITNWCHAOTISCHLMSPORTLICHJPEINTELLIGENTHFLANGWEILIGURTNETT

4 Wie heißt das Gegenteil? Verbinde.

sympathisch	dumm
interessant	unsportlich
geduldig	unsympathisch
intelligent	chaotisch
sportlich	langweilig
ordentlich	ungeduldig

5 Beantworte die Fragen.

1. Wie ist dein Vater? _Er ist sehr_ _____

2. Wie ist deine Mutter? _____

3. Wie ist dein Bruder? _____

4. Wie ist deine Schwester? _____

5. Wie ist dein bester Freund? _____

6. Wie ist deine beste Freundin? _____

7. Wie ist dein Opa? _____

8. Wie ist deine Oma? _____

6 Dein bester Freund / Deine beste Freundin. Ergänze den Text.

Mein bester Freund / Meine beste Freundin heißt _____

Er / Sie ist _____ Jahre alt und _____

_____

In seiner / ihrer Freizeit _____

_____

Wir machen viel zusammen: Wir _____

_____

Ich finde, er / sie ist sehr _____

_____

7 **Was passt zusammen? Ordne zu.**

1. Bist du in einer Clique?
2. Wo trefft ihr euch?
3. Wie viele seid ihr?
4. Was macht ihr zusammen?
5. Wohin geht ihr?
6. Kennt ihr euch schon lange?

a Wir spielen Fußball oder Computerspiele.
b Ja, ich bin in einer Clique.
c Ja, wir kennen uns schon lange.
d Auf dem Marktplatz oder bei mir zu Hause.
e Ins Jugendzentrum oder ins Kino.
f Wir sind zehn Leute.

8 **Ergänze.**

treffen   spielen   sehen fern   sind   kennen   gehen

1. Wir _____ zehn Leute in meiner Clique.

2. Wir _____ uns schon lange.

3. Wir _____ uns auf dem Marktplatz.

4. Wir _____ zusammen ins Jugendzentrum.

5. Wir _____ oder _____ Fußball im Garten.

9 **Ordne den Dialog. Nummeriere.**

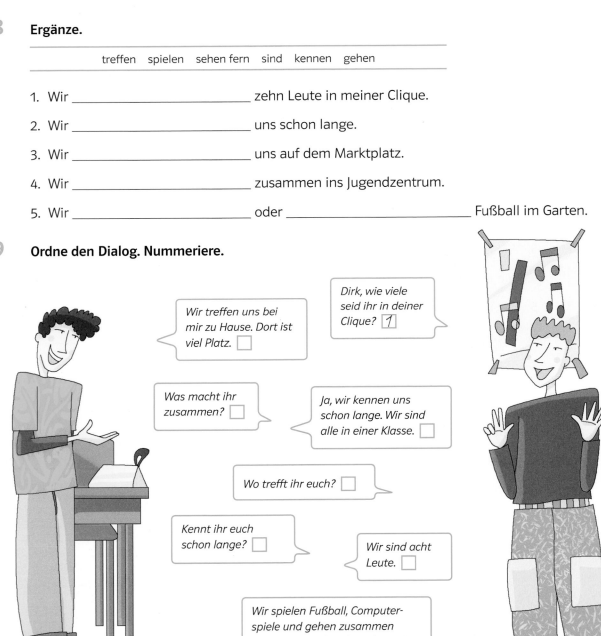

Wir treffen uns bei mir zu Hause. Dort ist viel Platz. ☐

Dirk, wie viele seid ihr in deiner Clique? ☐ 1

Was macht ihr zusammen? ☐

Ja, wir kennen uns schon lange. Wir sind alle in einer Klasse. ☐

Wo trefft ihr euch? ☐

Kennt ihr euch schon lange? ☐

Wir sind acht Leute. ☐

Wir spielen Fußball, Computerspiele und gehen zusammen ins Kino. Manchmal machen wir zusammen Hausaufgaben. ☐

10 Ergänze die Tabelle.

	spielen	gehen	machen	treffen	sein
ich			mache		
du	spielst			triffst	
er, es, sie			macht		
wir		gehen			
ihr	spielt			trefft	seid
sie		gehen			sind

11 Meine Clique. Ergänze die Verben.

1. _Bist_____ du in einer Clique?   Ja, ich _____ in einer Clique.

2. Wie viele Personen _____ ihr?   Wir _____ acht Personen.

3. Wo _____ du deine Freunde?   Ich _____ meine Freunde oft im Park.

4. _____ ihr viel zusammen?   Oh ja, wir _____ sehr viel zusammen.

5. _____ du manchmal auch etwas allein?   Ja, ich _____ in den Tennisclub und

_____ Tennis.

12 Was kann man wo machen? Ordne zu.

| 1 joggen | 2 Filme sehen | 3 Eis essen | 4 Volleyball spielen |
| 5 schwimmen | 6 Pizza essen | 7 Freunde treffen | 8 Tennis spielen |

☐ a im Jugendzentrum   ☐ e in der Turnhalle
☐ b im Schwimmbad   ☐ f in der Pizzeria
☐ c in der Eisdiele   ☐ g im Tennisclub
☐ d im Park   ☐ h im Kino

13 **Wo treffen wir ins?** *Vor dem* oder *vor der*? *Im* oder *in der*? **Ergänze.**

1. Wir treffen uns _____ Kino.	a vor dem	b vor der
2. Wir treffen uns _____ Eisdiele.	a im	b in der
3. Wir treffen uns _____ Jugendzentrum.	a im	b in der
4. Wir treffen uns _____ Einkaufszentrum.	a vor dem	b vor der
5. Wir treffen uns _____ Park.	a im	b in der
6. Wir treffen uns _____ Tennisclub.	a im	b in der
7. Wir treffen uns _____ Pizzeria.	a vor dem	b vor der
8. Wir treffen uns _____ Turnhalle.	a im	b in der

14 **Wohin gehen wir?** *In den, ins, in die*? **Ergänze.**

1. Wir gehen _____ Kino.	a in den	b ins	c in die
2. Wir gehen _____ Eisdiele.	a in den	b ins	c in die
3. Wir gehen _____ Jugendzentrum.	a in den	b ins	c in die
4. Wir gehen _____ Einkaufszentrum.	a in den	b ins	c in die
5. Wir gehen _____ Park.	a in den	b ins	c in die
6. Wir gehen _____ Tennisclub.	a in den	b ins	c in die
7. Wir gehen _____ Pizzeria.	a in den	b ins	c in die
8. Wir gehen _____ Turnhalle.	a in den	b ins	c in die

15 *Wo* oder *wohin*? **Ergänze.**

1. _____ treffen wir uns?

2. _____ gehen wir heute Abend?

3. _____ wohnt Steffi?

4. _____ geht Oliver mit seinen Freunden?

5. _____ spielt Tanja Volleyball?

6. _____ gehst du?

7. _____ lernst du Deutsch?

8. _____ gehen Steffi und Tanja?

16 Wo treffen wir uns? Hör zu und ergänze die Tabelle. ⊚ 28

Treffpunkt		
Adresse		

17 Richtig (R) oder falsch (F)? Lies den Text und kreuze an.

Das Erlanger Jugendzentrum

In Erlangen gibt es ein Jugend- zentrum. Steffi und Tanja gehen manchmal hin. Dort treffen sie ihre Freunde und Freundinnen. Aber was machen Steffi und
Tanja dort? Sie spielen z. B. Volleyball. Die Jungen spielen lieber Fußball. Es gibt nämlich einen kleinen Fußballplatz. Im Jugendzentrum gibt es einen Raum für Partys und Feste. Man kann also Klassenfeste oder Geburtstagspartys organisieren. Und es gibt natürlich einen Computerraum: Steffi und Tanja surfen im Internet und schreiben E-Mails.
Im Jugendzentrum gibt es auch ein Café: Man trinkt eine Cola, man hört Musik, man spricht mit Freunden … Das Jugendzentrum ist jeden Tag geöffnet, und zwar von 14.30 Uhr bis 18.30 Uhr.

	R	F
1. Steffi und Tanja gehen jeden Tag ins Jugendzentrum.	☐	☐
2. Im Jugendzentrum spielen Steffi und Tanja Fußball.	☐	☐
3. Im Jugendzentrum kann man Feste feiern.	☐	☐
4. Steffi und Tanja machen im Jugendzentrum zusammen Musik.	☐	☐

18 Hör zu und ergänze das passende Satzzeichen (? oder !). ⊚ 29

Gehen wir ins Schwimmbad _____

Treffen wir uns in der Pizzeria _____

Sprechen wir über Musik _____

Spielen wir zusammen Computerspiele _____

Gehen wir ins Einkaufszentrum _____

Treffen wir uns bei mir zu Hause _____

Ich kann . . .

wichtige Informationen aus einem Portrait verstehen.

LESEN

Lies und kreuze die richtige Antwort an.

„Hallo! Ich bin Mareike aus Hamburg. Ich bin 13 und habe zwei Geschwister. Meine Schwester Lina ist 10 und mein Bruder Theo ist 6. Wir haben keine Haustiere, aber ich möchte gern einen Hund und ein Kaninchen haben."

Mareike ist	☐ 10	☐ 13	☐ 6
Sie hat	☐ einen Hund	☐ ein Kaninchen	☐ keine Haustiere

in einem Dialog einen Treffpunkt verstehen.

HÖREN

Wo treffen sich die Personen? Hör zu und kreuze an. ⊙ 30

☐ im Park ☐ im Jugendzentrum ☐ vor dem Kino

jemanden zu seinen Haustieren befragen.

AN GESPRÄCHEN TEILNEHMEN

Sprich mit deinem Partner / deiner Partnerin über Haustiere. Fragt und antwortet.

meine eigene Familie kurz vorstellen.

ZUSAMMENHÄNGEND SPRECHEN

Stell deine Familie vor (Eltern, Geschwister, Name, Alter . . .).

ein kurzes Portrait über meine Clique schreiben.

SCHREIBEN

Beschreib deine Clique. Die Informationen helfen dir.

8 Personen: Jungen und Mädchen
Treffpunkt: im Jugendzentrum
Gemeinsame Aktivitäten: Billard spielen,
Musik hören

In meiner Clique sind wir _____

_____

Lektion 5
Wir, die Klasse 7b

1 **Was passt zusammen? Ordne zu.**

1. Wie heißt eure Schule?
2. Wie viele seid ihr in der Klasse?
3. Wo liegt eure Schule?
4. Wie lange bleibt ihr in der Schule?
5. Esst ihr in der Schule?
6. Was macht ihr am Nachmittag?

a Wir bleiben bis 16 Uhr in der Schule.
b Natürlich, es gibt eine Mensa.
c Unsere Schule heißt Goethe-Schule.
d Wir besuchen Extrakurse.
e Wir sind 13 Jungen und 12 Mädchen.
f Sie liegt in Frankfurt.

2 **Eine E-Mail von Anja. Lies und ergänze.**

habe   bleiben   essen   Hausaufgaben   in der Mensa   Jungen   Klasse
lernen   Mädchen   meine Schule   Theater

Lieber Marco,

vielen Dank für deine E-Mail und die Fotos von deiner Familie. Heute erzähle ich dir

etwas über (1) _____ . Sie ist in Nürnberg und heißt Elisabeth-Schule.

Meine (2) _____ ist die 7b und wir sind 13 (3) _____ und 11

(4) _____ . Wir (5) _____ bis 16 Uhr in der Schule und machen auch

zusammen (6) _____ . Zu Mittag (7) _____ wir gemeinsam

(8) _____ . Am Nachmittag (9) _____ ich einen Kurs, ich spiele

(10) _____ . Wir (11) _____ sehr viel in der Schule, aber wir haben

auch viel Spaß. Wie ist deine Schule? Schreib mir bald.

Deine Anja

3 **Ergänze die Endungen.**

1. Wir bleib_____ bis 16 Uhr in der Schule. Wie lange bleib_____ ihr in der Schule?

2. Wir ess_____ in der Mensa. Ess_____ ihr auch in der Mensa?

3. Wir lern_____ gern Deutsch. Lern_____ ihr auch gern Deutsch?

4. Wir mach_____ zusammen Hausaufgaben. Mach_____ ihr auch zusammen Hausaufgaben?

5. Wir s_____ 25 Schülerinnen und Schüler in der Klasse. Wie viele s_____ ihr in der Klasse?

4 **Ein Interview. Lies und ordne die Antworten den Fragen zu.**

A Ja, wir bleiben bis 15.30 Uhr dort.

B Unsere Schule heißt Südstadt-Schule.

C Wir sind die Klasse 6a.

D Wir haben verschiedene Kurse.

E Wir sind 19 Schüler und Schülerinnen.

F Sie liegt in der Kaiserstraße.

1. Welche Klasse seid ihr?
2. Wie heißt eure Schule?
3. Und wo liegt sie?
4. Wie viele seid ihr in der Klasse?
5. Bleibt ihr auch am Nachmittag in der Schule?
6. Und was macht ihr am Nachmittag?

5 **Beantworte die Fragen.**

1. Wie heißt deine Schule? _____

2. Wie viele Schüler und Schülerinnen besuchen deine Schule? _____

3. In welcher Klasse bist du? _____

4. Wie viele seid ihr in der Klasse? _____

5. Bleibt ihr auch am Nachmittag in der Schule? _____

6. Gehst du gern zur Schule? _____

6 **Ja oder Nein? Beantworte die Fragen für dich, frag deinen Partner / deine Partnerin und bilde Sätze wie im Beispiel.**

	Jana	Fabio	du	dein Partner / deine Partnerin
1. Spielst du Klavier?	ja	nein		
2. Bleibst du am Nachmittag in der Schule?	nein	ja		
3. Bist du gut in Mathematik?	ja	nein		
4. Wohnst du im Zentrum?	nein	nein		
5. Machst du gern Sport?	ja	nein		

Jana spielt Klavier. Fabio spielt nicht Klavier. Ich _____

_____

7 **Was passt zusammen? Ordne zu.**

1. Wer sind Sie?
2. Sind Sie verheiratet?
3. Haben Sie Kinder?
4. Wie alt sind Sie?
5. Wo wohnen Sie?
6. Haben Sie eine E-Mail-Adresse?

a Ich bin 35.
b In Hamburg.
c Ich bin Frau Schwarz.
d Natürlich habe ich eine E-Mail-Adresse!
e Nein, ich habe keine Kinder.
f Ja, ich bin verheiratet.

8 **Stell die Fragen und nutze die höfliche Form mit *Sie*.**

1. _____ ?
   Ich heiße Eva Hoffmann.
2. _____ ?
   Ich bin Managerin.
3. _____ ?
   In Pinneberg. Das liegt bei Hamburg.
4. _____ ?
   Nein, ich bin Single.
5. _____ ?
   Ich treibe Sport und höre Musik.
6. _____ ?
   Das sage ich dir nicht!

9 **Was möchtest du wissen? Bilde Fragen mit den Elementen.**

1. Herr Meyer: der Vater von Thomas / sein?
2. Herr und Frau Lehner: in München / wohnen?
3. Frau Bauer: was / machen / in Ihrer Freizeit?
4. Herr Grüner: gern / hören / klassische Musik?
5. Frau Zidek: einen Tenniskurs / besuchen?

10 **Ergänze die passenden Possessivartikel.**

unserer   Ihre   Ihrer   eure   unsere   eurer   unser

1. Wie heißt _____ Schule?

2. Herr Meier, was machen Sie in _____ Freizeit?

3. Frau Schulz, was sind _____ Hobbys?

4. _____ Schule liegt in der Bahnhofstraße.

5. Gibt es in _____ Schule eine Mensa?

6. Natürlich gibt es in _____ Schule eine Mensa.

7. _____ Englischlehrer spricht perfekt Englisch.

11 **Possessivartikel. Ergänze.**

ich   →   _mein_   sie (Singular) → _ihr_   sie (Plural) → _ihr_

du   →   _____   wir → _____   Sie → _____

er, es → _____   ihr → _____

12 **Was passt zu wem? Hör zu und ordne zu.** ⊙ 31

unterrichtet Erdkunde

Biologie

verheiratet

keine Kinder

dynamisch

erklärt nicht sehr gut

chaotisch

spricht sehr schnell

macht Experimente

nicht sehr streng

13 **Lies die Texte im Kursbuch auf Seite 69 noch einmal und beantworte die Fragen.**

1. Was unterrichtet Frau Specht?

_____

2. Wie ist Karl Schmidt?

_____

3. Wie sind die Stunden von Frau Kohl?

_____

4. Wie finden die Schüler Mathe?

_____

5. Welches Instrument spielt Frau Küppers?

_____

6. Welchen Sport treibt Herr Lange?

_____

7. Erklärt Herr Novak gut?

_____

8. Wie sind die Schülerinnen und Schüler in den Stunden von Frau Specht?

_____

14 **Wie heißen die Fächer? Ordne die Buchstaben.**

a TEUSCHD _____

b THEMATIKMA _____

c SKIPHY _____

d LOGIEBIO _____

e GLIENSCH _____

f TROPS _____

g SIKMU _____

h TSKUN _____

15 **Hör zu und notiere die Fächer.** ▶ 32

Frau Thüne
_____

Herr Berger
_____

Herr Menzel
_____

Frau Müller
_____

Frau Hentschel
_____

Frau Brook
_____

Frau Hansmann
_____

Herr Zidek
_____

16 **Wie heißen deine Lehrerinnen und Lehrer?**

1. Wie heißt dein(e) Deutschlehrer(in)? *Er / Sie heißt* _____

2. Wie heißt dein(e) Mathelehrer(in)? _____

3. Wie heißt dein(e) Sportlehrer(in)? _____

4. Wie heißt dein(e) Musiklehrer(in)? _____

5. Wie heißt dein(e) Biologielehrer(in)? _____

6. Wie heißt dein(e) Englischlehrer(in)? _____

17 Deine Lehrer und Lehrerinnen? Ergänze die Tabelle und schreib dann einen kurzen Text.

	1. _____	2. _____
Vorname / Name:		
Fach:		
Charakter / Persönlichkeit:		
Die Stunde mit ihm / ihr:		
Besondere Informationen:		

Unser Deutschlehrer heißt _____

_____

_____

_____

_____

18 Schreib die Wochentage aus und bring sie in die richtige Reihenfolge.

Sa _____ ☐   Mo _____ ☐

Di _____ ☐   So _____ ☐

Mi _____ ☐   Do _____ ☐

Fr _____ ☐

19 Wochentage. Ergänze.

1. Nach dem Mittwoch kommt der … _____

2. Nach dem Freitag kommt der … _____

3. Vor dem Mittwoch kommt der … _____

4. Nach dem Montag kommt der … _____

5. Vor dem Sonntag kommt der … _____

6. Nach dem Samstag kommt der … _____

7. Nach dem Sonntag kommt der … _____

20 Dein Stundenplan. Welcher ist dein idealer, welcher dein schlimmster Tag. Ergänze und berichte deinem Partner / deiner Partnerin.

Mein idealer Schultag   Mein schlimmster Schultag

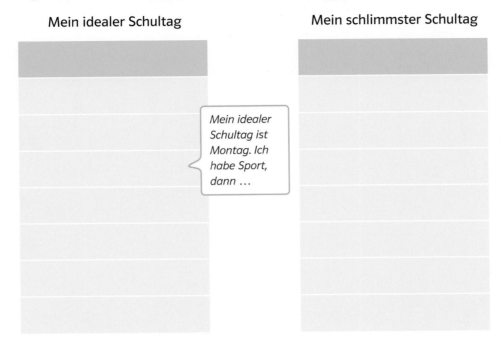

Mein idealer Schultag ist Montag. Ich habe Sport, dann …

21 Ergänze die Tabelle.

	finden	unterrichten
ich		
du		*unterrichtest*
er, es, sie		
wir		
ihr	*findet*	
sie, Sie		

22 Zusammengesetzte Wörter. Hör zu, achte darauf, welches Wort betont wird, und markiere. ⊙ 33

Deutschlehrer   Sommerferien

Englischstunde   Ferienkurs

Lieblingsfach   Musikschule

Hausaufgaben

1 **Wie heißen die Gegenstände? Ergänze.**

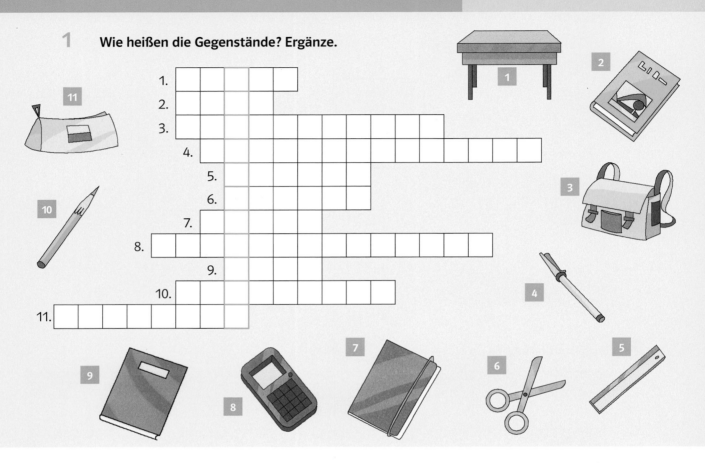

2 **Wie heißen die Schulsachen? Ordne die Buchstaben und ergänze den Artikel.**

1. PPENMÄCH _____

2. GELBERKUREISCH _____

3. EIFTBLSTI _____

4. MIGUMDIERRA _____

5. ERZTSPI _____

6. CHUB _____

7. EPPAM _____

8. LEALIN _____

9. HTFE _____

10. SCHETALUSCH _____

3 Beantworte die Fragen wie im Beispiel.

Ist das ein Buch?

Nein, das ist kein Buch.
Das ist ein Heft.

Ist das ein Spitzer?

Nein, _____

_____

Ist das ein Kugelschreiber?

Nein, _____

_____

Ist das ein Lineal?

Nein, _____

_____

Ist das eine Mappe?

Nein, _____

_____

Ist das ein Bleistift?

Nein, _____

_____

Ist das eine Schultasche?

Nein, _____

_____

Ist das eine Schultasche?

Nein, _____

_____

4 Maskulin, neutral oder feminin? Ordne zu.

Bleistift Mäppchen Spitzer Lineal Schere Radiergummi Heft Buch
Taschenrechner Kugelschreiber Tasche Banane

maskulin der/ein	neutral das/ein	feminin die/eine

5 Bilde Sätze wie im Beispiel.

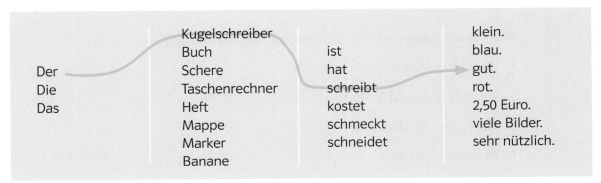

Der Kugelschreiber schreibt gut. _____

6 Hör zu und notiere die Preise. ▶ 34

| _____ € | _____ € | _____ € | _____ € | _____ € | _____ € | _____ € | _____ € |

7 Wie lautet der Plural? Ergänze.

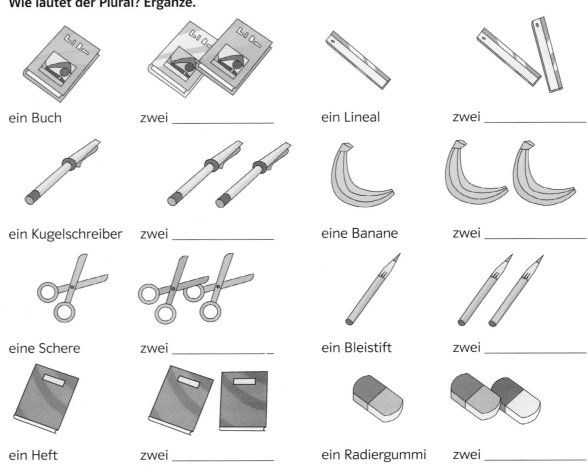

ein Buch   zwei _____   ein Lineal   zwei _____

ein Kugelschreiber   zwei _____   eine Banane   zwei _____

eine Schere   zwei _____   ein Bleistift   zwei _____

ein Heft   zwei _____   ein Radiergummi   zwei _____

8 Was passt zusammen? Ordne zu und ergänze die Personalpronomen.

1. Wo ist das Mathebuch?   a _____ ist im Mäppchen.

2. Wie schneidet die Schere?   b Nein, _____ ist voll.

3. Was kostet der Taschenrechner?   c _____ ist in der Schultasche.

4. Wo ist dein Bleistift?   d _____ schneidet sehr gut.

5. Schreibt dein Marker rot?   e Nein, _____ schreibt grün.

6. Ist dein Mäppchen leer?   f _____ kostet 13 Euro.

9 Was brauchst du heute in der Schule? Bilde Sätze.

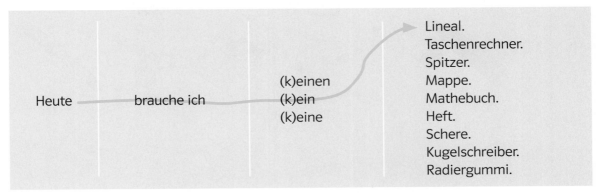

| Heute | brauche ich | (k)einen (k)ein (k)eine | Lineal. Taschenrechner. Spitzer. Mappe. Mathebuch. Heft. Schere. Kugelschreiber. Radiergummi. |

Heute brauche ich kein Lineal. Heute brauche ich _____

_____

10 Hast du alles? Ergänze wie im Beispiel.

1. Hast du _____ Bleistift?   Ja, _____ Bleistift habe ich!

2. Hast du _____ Mathebuch?   Ja, _____ Mathebuch habe ich!

3. Hast du _____ Schere?   Ja, _____ Schere habe ich!

4. Hast du _____ Deutschheft?   Ja, _____ Deutschheft habe ich!

5. Hast du _____ Banane?   Ja, _____ Banane habe ich!

6. Hast du _____ Mäppchen?   Ja, _____ Mäppchen habe ich!

7. Hast du _____ Radiergummi?   Ja, _____ Radiergummi habe ich!

8. Hast du _____ Schultasche?   Nein, _____ Schultasche habe ich vergessen!

Hast du den Taschenrechner?

Ja, den Taschenrechner hab ich.

11 Was hast du vergessen? Schreib Sätze wie im Beispiel.

1. *Heute habe ich den Radiergummi vergessen.*
2. _____
3. _____
4. _____
5. _____
6. _____
7. _____
8. _____

12 **Wer sucht was? Bilde Sätze.**

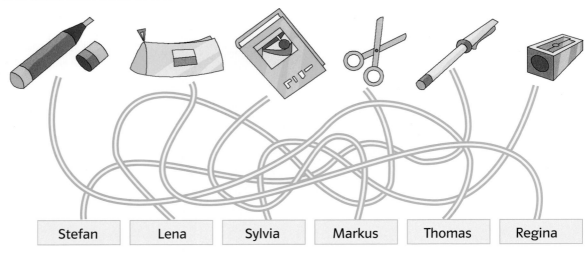

| Stefan | Lena | Sylvia | Markus | Thomas | Regina |

Thomas sucht den Marker. Lena sucht _____

_____

13 *Einen, ein, eine?* **Ergänze.**

1. Wir essen _____ Banane.

2. Ich lese _____ Buch.

3. Du schreibst _____ SMS.

4. Pascal interviewt _____ Freund.

5. Ich spiele _____ Instrument.

6. Nathalie braucht heute _____ Spitzer.

14 **Was brauchst du? Verbinde und bilde Sätze wie im Beispiel.**

zeichnen   basteln   lernen   lesen   schreiben

Schere   Lineal   Spitzer   Buch   Heft   Kugelschreiber   Bleistift   Radiergummi

Ich möchte zeichnen.   *Ich brauche einen Bleistift,* _____

Ich möchte _____   Ich brauche _____

Ich möchte _____   Ich brauche _____

Ich möchte _____   Ich brauche _____

Ich möchte _____   Ich brauche _____

15 Nominativ oder Akkusativ? Kreuze an.

	Nominativ	Akkusativ
1. Ich suche *den Kugelschreiber*.	☐	☐
2. *Der Marker* schreibt gut.	☐	☐
3. *Das Lineal* hier ist nicht teuer.	☐	☐
4. Wie findest du *das Buch*?	☐	☐
5. Brauchst du *den Taschenrechner*?	☐	☐
6. Ich kaufe *den Spitzer*.	☐	☐
7. *Der Bleistift* ist neu.	☐	☐
8. *Das Heft* ist zu klein.	☐	☐
9. Ich habe *keine Mappe*.	☐	☐
10. Hier ist *mein Mäppchen*.	☐	☐

16 Toni soll alles machen. Ordne zu und ergänze die Verben im Imperativ.

1. Susi sucht ihre Schere.

2. Lea hat keinen Taschenrechner.

3. Silvia braucht ein Lineal.

4. David findet sein Lesebuch nicht.

5. Dominik sucht die Bibliothek.

6. Wie heißt das Wort auf Deutsch?

a Toni, bring Silvia ein Lineal, bitte. (bringen)

b Toni, _____ Dominik die Bibliothek! (zeigen)

c Toni, _____ das Wort auf Deutsch! (sagen)

d Toni, _____ Susi eine Schere! (bringen)

e Toni, _____ das Lesebuch von David! (suchen)

f Toni, _____ einen Taschenrechner für Lea! (holen)

17 Die Altstadt-Schule in Augsburg. Ergänze den Text.

Lehrerinnen und Lehrer Altstadt-Schule Fremdsprachen Kurse sechzehn Mensa
Schülerinnen und Schüler Unterricht Augsburg zehn zu Mittag Informatik

Unsere Schule heißt (1) _____ und liegt in (2) _____ .

Wir sind eine kleine Schule: wir haben 480 (3) _____ und

43 (4) _____ . Die Schülerinnen und Schüler sind zwischen

(5) _____ und (6) _____ Jahre alt. Der (7) _____

beginnt um 7.55 Uhr und endet um 15.30 Uhr. In unserer Schule gibt es eine

(8) _____ . Da essen wir (9) _____ , denn am Nachmittag gibt es

verschiedene (10) _____ : Sport, (11) _____ , Musik ...

Wir lernen zwei (12) _____ :

Englisch und Französisch oder Spanisch.

18 **Stell deine Schule vor.**

> Meine Schule heißt _____ und liegt in _____ .
>
> Wir sind _____

19 **Was passt zusammen? Ordne zu.**

1. die Bibliothek
2. das Sprachlabor
3. der Computerraum
4. die Turnhalle
5. die Mensa
6. der Schulhof
7. der Musikraum
8. der Physikraum

a ein Instrument spielen
b zu Mittag essen
c Experimente machen
d Bücher lesen
e einen Informatikkurs haben
f Pause machen
g Englisch lernen
h Gymnastik machen

20 **Beantworte die Fragen wie im Beispiel.**

1. Gibt es in deiner Schule eine Bibliothek?

   Ja (Nein), in meiner Schule gibt es (k)eine Bibliothek. _____

2. Gibt es in deiner Schule ein Sprachlabor?

   _____

3. Gibt es in deiner Schule einen Computerraum?

   _____

4. Gibt es in deiner Schule eine Turnhalle?

   _____

5. Gibt es in deiner Schule eine Mensa?

   _____

6. Gibt es in deiner Schule einen Schulhof?

   _____

7. Gibt es in deiner Schule einen Musikraum?

   _____

8. Gibt es in deiner Schule einen Biologieraum?

   _____

21 **Ein Interview. Hör zu und ergänze.** ⊙ 35

Er heißt _____ .

Er ist _____ Jahre alt.

Er besucht die Klasse _____ .

Seine Schule heißt _____ .

Der Unterricht beginnt um _____ Uhr.

Der Unterricht ist um _____ zu Ende.

In seiner Schule gibt es keine _____ .

Aber es gibt ein _____ und einen _____ .

Seine Lieblingsfächer sind _____ .

22 **Ergänze die Fragen oder die Antworten.**

1. Was ist heute in deiner Schultasche?   _____

2. _____   Am Nachmittag habe ich heute frei.

3. Was kostet dein Deutschbuch?   _____

4. _____   Nein, es gibt kein Sprachlabor.

5. _____   Ja, ich brauche mein Mathebuch heute.

6. Wie lange bleibst du in der Schule?   _____

7. _____   Ich gehe nicht oft in die Mensa.

8. Was ist dein Lieblingsfach?   _____

23 **Hör zu, lies mit und achte auf die dick gedruckten Vokale. Welche sind kurz? Markiere.** ⊙ 36

M**a**ppe – Sch**ü**ler – L**e**hrer – Schw**i**mmhalle – g**u**t – n**e**tt – **e**ssen – Ban**a**ne – Kl**a**sse

Ergänze die Regel:
Vor einem Doppelkonsonanten (z. B. tt, mm, ss) wird der Vokal _____
ausgesprochen.

Ich kann . . .

LESEN

Lies und ergänze die Informationen.

Frau Barbieri ist meine Italienischlehrerin. Ich finde sie sehr sympathisch, aber auch sehr streng. Sie kann sehr gut erklären, spricht aber manchmal zu schnell, das mag ich nicht so gern.

Frau Barbieri unterrichtet _____ . Sie ist _____ .

Sie _____ gut, aber manchmal spricht sie zu _____ .

HÖREN

Richtig (R) oder falsch (F)? Hör zu und kreuze an. ⊙ 37

	R	F
Michael ist in der Klasse 8b.	☐	☐
Die Lieblingsfächer von Michael sind Englisch und Mathematik.	☐	☐

AN GESPRÄCHEN TEILNEHMEN

Sprich mit deinem Partner / deiner Partnerin über deine Schulfächer.
Was magst du gern, was findest du nicht so gut? Fragt und antwortet.

ZUSAMMENHÄNGEND SPRECHEN

Stell deine Klasse kurz vor (Jungen / Mädchen, Fächer, Extrakurse).

SCHREIBEN

Schreib 5 Sätze über deine Traumschule. Die Stichworte helfen dir.

_____

_____

_____

_____

Unterricht – Lehrer und Lehrerinnen – Fächer – Räume

Lektion 7
Was isst du gern?

1 **Was passt nicht dazu? Markiere.**

1. der Joghurt – das Brot – der Toast
2. die Marmelade – der Honig – die Butter
3. die Cornflakes – das Müsli – das Ei
4. der Kaffee – der Tee – das Müsli
5. der Käse – der Schinken – der Joghurt
6. die Banane – die Orange – das Ei

2 **Bilde Fragen und Antworten wie im Beispiel.**

Was gehört zu einem	italienischen französischen deutschen englischen schweizerischen	Frühstück?

Ein Cappuccino Toasts mit Butter und Marmelade Ein Schinkenbrot Ein Croissant Ein Milchkaffee und Kekse Ein Ei Ein Orangensaft Cornflakes Ein Müsli Eine Tasse Tee Ein Brötchen mit Honig Ein Espresso	gehört gehören	zu einem	italienischen französischen deutschen englischen schweizerischen	Frühstück.

Was gehört zu einem italienischen Frühstück?

Ein Cappuccino gehört zu einem italienischen Frühstück.

3 **Bilde Sätze.**

| Zum Frühstück | isst
trinkt
esse
trinke
essen
trinken | die Kinder
wir
ich
Max
mein Opa
Eva und Tina | einen
eine
ein | Milchkaffee.
Cappuccino.
Müsli.
Cornflakes.
Croissant.
Toast mit Butter und Marmelade.
Brötchen mit Butter und Marmelade.
Orangensaft.
Schinkenbrot.
Tasse Tee.
Kakao.
Joghurt. |

Zum Frühstück trinke ich eine Tasse Tee.

_____

4 **Was essen die Jugendlichen? Bilde Sätze.**

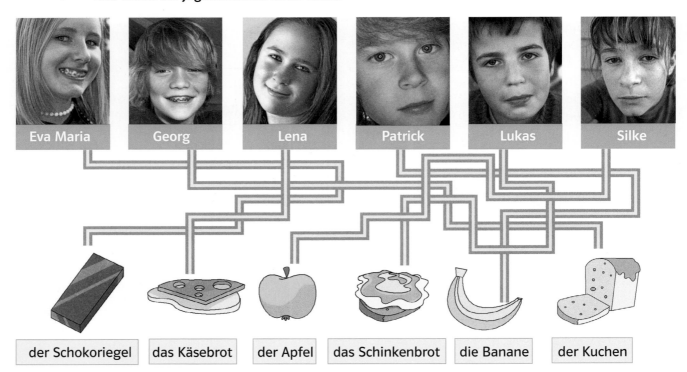

Eva Maria   Georg   Lena   Patrick   Lukas   Silke

der Schokoriegel   das Käsebrot   der Apfel   das Schinkenbrot   die Banane   der Kuchen

Eva Maria isst einen Schokoriegel.

_____

5 **Was passt zusammen? Ordne zu.**

1. Möchtest du einen Apfel?
2. Was trinkst du?
3. Was isst du in der Pause?
4. Möchtest du eine Banane?
5. Hast du Hunger?
6. Was möchtest du?

a Einen Schokoriegel.
b Ich möchte einen Kuchen.
c Nein danke, keinen Apfel, lieber eine Orange.
d Nein, aber ich habe Durst.
e Ein Glas Mineralwasser.
f Ja, gern!

6 **Immer Nein! Beantworte die Fragen.**

1. Möchtest du einen Apfel?   _Nein danke, ich möchte keinen Apfel!_
2. Möchtest du ein Käsebrot?   _____ !
3. Möchtest du eine Banane?   _____ !
4. Möchtest du einen Schokoriegel?   _____ !
5. Möchtest du ein Croissant?   _____ !
6. Möchtest du einen Kuchen?   _____ !

7 **Was essen die Jugendlichen in der Pause? Hör zu und kreuze an.** ⊙ 38

	Joghurt	Schokoriegel	Apfel	Käsebrot	Banane
Regina	☐	☐	☐	☐	☐
Guido	☐	☐	☐	☐	☐
Karin	☐	☐	☐	☐	☐

8 **Speisen und Getränke. Was magst du (nicht)?**

Ich mag _____

☺ _____

_____

Ich mag kein____ _____

☹ kein____ _____

kein____ _____

9 **Ordne zu und ergänze die Tabelle.**

	mögen	essen
ich		
du		
er, es, sie	mag	
wir		
ihr	mögt	esst
sie, Sie		

mag   magst

~~mag~~   mögen   ~~mögt~~

mögen   esse   isst

isst   essen

~~esst~~   essen

10 *mögen* und *essen*. Ergänze die passende Form.

1. Zum Frühstück _____ ich immer ein Croissant. (essen)

2. Was _____ du zu Mittag? (essen)

3. _____ du Fisch? Ja, Fisch _____ ich sehr. (mögen)

4. Tim hat keinen Hunger. Er _____ nichts. (essen)

5. Was _____ die Schüler in der Pause? (essen)

6. _____ die Kinder Gemüse? Nein, die Kinder _____ kein Gemüse. (mögen)

11 Antworte wie im Beispiel.

1. Haben Sie Brot? *Nein, wir haben kein Brot!* _____

2. Haben Sie Milch? *Nein,* _____ !

3. Haben Sie Käse? *Nein,* _____ !

4. Haben Sie Wurst? *Nein,* _____ !

5. Haben Sie Mineralwasser? *Nein,* _____ !

6. Haben Sie Orangensaft? *Nein,* _____ !

7. Haben Sie Nudeln? *Nein,* _____ !

12 Bilde Minidialoge.

der Fisch, das Fleisch _____

Warum isst du keinen Fisch? _____

der Reis, die Nudeln *Ich mag keinen Fisch. Ich esse lieber Fleisch.* _____

_____

das Gemüse, das Obst _____

_____

der Saft, das Mineralwasser _____

_____

die Wurst, der Käse _____

_____

die Kartoffeln, das Brot _____

_____

13 **Bilde Sätze wie im Beispiel.**

> Fleisch Salat Apfelsaft Mineralwasser Fisch Eier Nudeln Käse Milch
> Gemüse Obst Kuchen Wurst Schinken Orangensaft

Ich esse jeden Tag Fleisch, aber ich möchte lieber Käse essen.

Tina _____

Meine Schwester _____

Mein Bruder _____

Wir _____

Die Kinder _____

14 **Lies und ergänze die Sätze.**

Mein Lieblingsessen

CHRISTIAN, 11

Eigentlich esse ich alles, aber Pizza esse ich am liebsten. Aber ich mag auch Nudelgerichte wie z.B. Spaghetti, Lasagne … Hamburger und Cheeseburger esse ich auch sehr gern. Aber meine Mutter meint, Fastfood ist nicht so gesund. Solche Sachen gibt es also selten bei mir zu Hause.

NICOLE, 14

Ich mag süße Sachen. In der Pause essen meine Mitschülerinnen ein Pausenbrot oder einen Apfel. Ich habe dagegen immer ein Stück Kuchen dabei, oder ein Croissant … Zu Mittag esse ich aber gern einen gemischten Salat (mit allem Möglichen drin: Käse, Tomaten, Eier …). Fleisch und Wurst esse ich nicht so gern.

INGO, 13

Ich mag Fleisch sehr! Viele Leute sagen, zu viel Fleisch ist ungesund. Ich finde, vegetarisches Essen ist ungesund! Zu Mittag esse ich immer ein Schnitzel oder einen Braten mit Kartoffeln oder Pommes. Aber auch Hähnchen oder Würste mag ich sehr.

Was mögen die drei Jugendlichen sehr bzw. nicht so sehr?

Christian mag / isst gern _____

Christian isst nicht oft _____

Nicole isst gern _____

Nicole isst nicht gern _____

Ingo isst viel _____

Ingo mag auch _____

15 Ergänze die Tabelle.

	nehmen
ich	
du	*nimmst*
er, es, sie	
wir	
ihr	
sie, Sie	

16 *nehmen*: Ergänze die passende Form.

1. Ich _____ einen Hamburger. Was _____ du?

2. Herr Fischer _____ eine Bratwurst. Seine Frau _____ eine Pizza.

3. Also Jungs, was _____ wir? Wir _____ alle Hamburger mit Pommes.

4. Und Sie, Frau Stein, was _____ Sie? Ich _____ nichts. Ich habe keinen Hunger.

5. _____ ihr auch Spaghetti? Natürlich _____ wir Spaghetti!

17 Ergänze: *möchte, möchtest, möchten?*

1. Herr Wagner, was _____ Sie trinken?

2. Ich _____ eine Tasse Kaffee.

3. Und du, Andreas? Was _____ du?

4. Ich _____ ein Stück Pizza.

5. Und du, Claudia? _____ du auch Pizza essen?

6. Wir haben Hunger. Wir _____ so gern einen Hamburger essen.

18 Richtig (R) oder falsch (F)? Lies den Dialog im Kursbuch auf Seite 92 noch einmal und kreuze an.

	R	F
1. Oliver und Markus haben Hunger.	☐	☐
2. Oliver möchte einen Cheeseburger oder einen Toast.	☐	☐
3. Markus findet die Pizza gut.	☐	☐
4. Markus möchte einen Apfelsaft.	☐	☐
5. Oliver möchte nichts trinken.	☐	☐
6. Sie bestellen eine Pizza und einen Orangensaft.	☐	☐

19 **Gute Tipps. Welche Form ist korrekt? Kreuze an.**

1. Ich möchte etwas trinken.

    ☐ Trinkst   ☐ Trinken   ☐ Trink   einen Tee!

2. Ich habe Hunger.

    ☐ Esst   ☐ Iss   ☐ Esse   einen Toast!

3. Salat oder Bratwurst?

    ☐ Nimmst   ☐ Nehm   ☐ Nimm   Salat, der ist ganz frisch!

4. Was schmeckt hier besonders gut?

    ☐ Bestell   ☐ Bestellst   ☐ Bestellen   den Kuchen, der ist sehr lecker!

5. Das Buch ist langweilig.

    ☐ Lese   ☐ Lies   ☐ Les   mein Lieblingsbuch, das ist echt spannend!

20 **Was soll ich tun? Ordne zu und ergänze die Verben im Imperativ.**

1. Ich möchte einen Kuchen zum Kaffee.

    a _____ einen Apfelsaft! (trinken)

2. Ich habe Durst.

    b _____ den Schokokuchen. Der ist sehr gut! (nehmen)

3 Ich möchte etwas essen.

    c Nein, _____ bitte nicht so schnell! (sprechen)

4. Mir ist kalt.

    d _____ den Fisch, der ist gesund! (nehmen)

5. Fisch oder Pizza?

    e _____ eine Portion Spaghetti. (essen)

6. Verstehst du mich?

    f _____ einen Tee, der ist schön heiß. (trinken)

21 **Hör zu und notiere die Preise.** ⊙ 39

_____ €   _____ €   _____ €   _____ €

_____ €   _____ €   _____ €   _____ €

22 **Ergänze.**

Ich habe Hunger.   Ich habe Durst.

Ich esse _____   _Ich trinke_ _____

_____   _____

23 **Ergänze die Fragen.**

1. ▶ _____ ?
   ▶ Nein, Fisch mag ich nicht.

2. ▶ _____ ?
   ▶ Ja, Kartoffeln esse ich gern.

3. ▶ _____ ?
   ▶ Ja, Käse mag er sehr.

4. ▶ _____ ?
   ▶ Ich esse einen Schokoriegel.

5. ▶ _____ ?
   ▶ Spaghetti.

6. ▶ _____ ?
   ▶ Ich nehme nichts.

7. ▶ _____ ?
   ▶ Nein, ich habe keinen Hunger.

8. ▶ _____ ?
   ▶ Er kostet 2,70 €.

24 Interview. Sprich mit deinem Partner / deiner Partnerin, notiere die Antworten und berichte in der Klasse.

1. Was isst und trinkst du zum Frühstück?

2. Hast du jetzt Hunger oder Durst? Was möchtest du jetzt essen oder trinken?

3. Was ist dein Lieblingsessen?

4. Was trinkst du am liebsten?

5. Was magst du nicht?

6. Was isst du in der Pause?

7. Was kostet dein Lieblingsgetränk?

1. Zum Frühstück isst Peter

25 Hör zu und lies mit. Unterstreiche die r-Buchstaben, die wie das *r* in „Reis" klingen. ⊙ 40

▶ Markus, möchtest du frühstücken?

▶ Ja, gerne. Gehen wir ins Restaurant?

▶ Ja. Was möchtest du trinken? Mineralwasser oder Orangensaft?

▶ Ich möchte lieber Apfelsaft trinken. Was wollen wir denn essen?

▶ Wir bestellen einfach ein großes Frühstück: Brot, Brötchen, Butter, Wurst, Marmelade und Eier.

▶ Und eine Bratwurst?

▶ Aber Markus, Bratwurst isst man doch nicht zum Frühstück!

Lektion 8
Tagesabläufe

1 **Wie spät ist es? Ordne zu.**

- ☐ 1. 6.10
- ☐ 2. 15.45
- ☐ 3. 12.30
- ☐ 4. 6.35

- ☐ 5. 9.30
- ☐ 6. 18.15
- ☐ 7. 16.55
- ☐ 8. 13.25

a Viertel nach sechs
b zehn nach sechs
c fünf vor halb zwei
d halb eins

e fünf vor fünf
f Viertel vor vier
g fünf nach halb sieben
h halb zehn

2 **Wie spät ist es? Hör zu und kreuze an.** ⊙ 41

Situation 1	☐ a 9.30	☐ b 10.30
Situation 2	☐ a 14.10	☐ b 13.50
Situation 3	☐ a 11.15	☐ b 11.45
Situation 4	☐ a 10.25	☐ b 10.35
Situation 5	☐ a 16.30	☐ b 17.30

3 **Hör zu und zeichne die Uhrzeit ein.** ⊙ 42

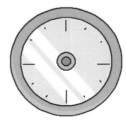
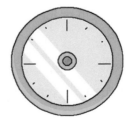
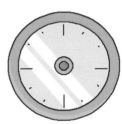

1.   2.   3.   4.

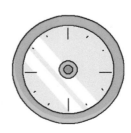
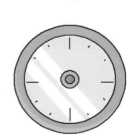

5.   6.   7.   8.

4   **Wann ist die Bibliothek geöffnet? Bilde Sätze wie im Beispiel.**

Öffnungszeiten

Mo   10.00 – 18.00
Di   9.30 – 18.00
Mi   9.30 – 18.30
Do   10.00 – 19.30
Fr   9.30 – 14.30
Sa   10.00 – 12.30
So   geschlossen

Am Montag ist die Bibliothek von zehn bis achtzehn Uhr geöffnet.

_____

_____

_____

_____

5   **Beantworte die Fragen.**

1. Wann ist das Frühstück? (7.15)   *Um Viertel nach sieben* _____

2. Wann ist das Mittagessen? (12.30) _____

3. Wann ist das Abendessen? (18.45) _____

4. Wann fängt die Schule an? (8.10) _____

5. Wann ist Pause? (10.40) _____

6. Wann ist die Schule aus? (13.25) _____

7. Wann fährt der Bus? (13.50) _____

8. Wann fängt der Film an? (20.20) _____

6   **Wie heißen die trennbaren Verben? Kreuze die passende Vorsilbe an und notiere den Infinitiv.**

1. Marina steht um 7 Uhr   ☐ an   ☐ auf   ☐ zurück.   *aufstehen*

2. Heute fängt die Schule erst um 10 Uhr   ☐ auf   ☐ fern   ☐ an.   _____

3. Siehst du am Abend oft   ☐ fern   ☐ auf   ☐ zurück?   _____

4. Du gehst ins Kino? Wann kommst du   ☐ auf   ☐ zurück   ☐ aus?   _____

5. Am Nachmittag rufe ich meine Freunde   ☐ mit   ☐ fern   ☐ an.   _____

7   **Ergänze die Tabellen.**

Ich	*fange*		an.
Du			
Er / Es / Sie		sofort mit den Hausaufgaben	
Wir			
Ihr			
Sie			

Ich			
Du	*stehst*		*auf.*
Er / Es / Sie		um 7.30 Uhr	
Wir			
Ihr			
Sie			

8 **Ein Tag von Verena. Bilde Sätze.**

7.10 Uhr	aufstehen	*Verena steht um zehn nach sieben auf.*
7.20 Uhr	frühstücken	_____
7.45 Uhr	zur Schule fahren	_____
8.05 Uhr	Schule, anfangen	_____
13.15 Uhr	nach Hause zurückfahren	_____
13.45 Uhr	zu Mittag essen	_____
15.00-18.00 Uhr	für die Schule lernen	_____
18.10 Uhr	Tina anrufen	_____
18.15-19.00 Uhr	fernsehen	_____
19.30 Uhr	zu Abend essen	_____
21.50 Uhr	schlafen gehen	_____

9 **Ergänze die passenden Fragen.**

1. ▶ _____ ?

   ▶ Um 7.00 Uhr.

2. ▶ _____ ?

   ▶ Ich frühstücke um 7.30 Uhr.

3. ▶ _____ ?

   ▶ Brot mit Butter und Marmelade.

4. ▶ _____ ?

   ▶ Die Schule fängt um 8.00 Uhr an.

5. ▶ _____ ?

   ▶ Ich bleibe von 8.00 bis 13.00 Uhr in der Schule.

6. ▶ _____ ?

   ▶ Ich komme um 13.30 Uhr nach Hause zurück.

7. ▶ _____ ?

   ▶ Am Nachmittag lerne ich für die Schule.

8. ▶ _____ ?

   ▶ Nein, ich sehe nicht so gern fern.

9. ▶ _____ ?

   ▶ Abendessen ist bei uns um 19.00 Uhr.

10. ▶ _____ ?

   ▶ Um 21.45 Uhr.

10 **Bilde mit den Verben Sätze wie im Beispiel.**

anfangen _____

ankommen _____

aufstehen _____

anrufen *Am Nachmittag rufe ich Petra an.*_____

ausgehen _____

fernsehen _____

zu Mittag essen _____

zu Abend essen _____

zurückkommen _____

11 **Wie ist dein Tagesablauf? Ergänze.**

Um wie viel Uhr?	Was machst du?
7.10	*Ich stehe auf.*

12 Bilde Sätze.

1. jeden Tag, aufstehen, Martina, 7 Uhr, um

   _____

2. Mittwoch, die Schule, am, anfangen, 9 Uhr, um

   _____

3. Abend, fernsehen, ich, 22 Uhr, am, bis

   _____

4. Petra, nach Hause, 13 Uhr, zurückfahren, um

   _____

5. Steffi, ihre Freundin, Anja, um, anrufen, 17 Uhr

   _____

6. wie viel Uhr, ihr, um, essen, zu Abend ?

   _____

13 Hör zu und kreuze die richtige Uhrzeit an. ⊙ 43

Situation 1

Martin geht um

- ☐ 19.30 Uhr
- ☐ 20.00 Uhr
- ☐ 20.30 Uhr

ins Kino.

Situation 2

Vater und Tochter stehen um

- ☐ 5.45 Uhr
- ☐ 6.00 Uhr
- ☐ 6.15 Uhr

auf.

Situation 3

Die große Pause fängt um

- ☐ 9.50 Uhr
- ☐ 11.15 Uhr
- ☐ 13.30 Uhr

an.

Situation 4

Katja sieht um

- ☐ 17.00 Uhr
- ☐ 18.00 Uhr
- ☐ 19.10 Uhr

fern.

14 **Interview mit Martina. Welche Antwort passt? Ordne zu.**

1. Also, Martina, in welcher Klasse bist du?
2. Um wie viel Uhr fängt der Unterricht an?
3. Und wann ist der Unterricht aus?
4. Habt ihr auch samstags Unterricht?
5. Habt ihr auch am Nachmittag Unterricht?
6. Und was machst du da?
7. Martina, sag mal, um wie viel Uhr stehst du auf?
8. Und wie fährst du zur Schule?
9. Danke, Martina.

a   Nein, Schule ist jeden Tag von Montag bis Freitag.
b   Ich besuche einen Musikkurs. Ich lerne Klarinette spielen.
c   So um Viertel vor sieben.
d   Einmal die Woche, und zwar am Mittwoch. Da bleibe ich bis 15.30 Uhr in der Schule.
e   Mit dem Bus. Die Fahrt dauert ca. 10 Minuten.
f   Der Unterricht fängt um 7.50 Uhr an.
g   Ich besuche die 8. Klasse.
h   Bitte sehr.
i   Um 13.15 Uhr.

1	2	3	4	5	6	7	8	9

15 **Zur Kontrolle: Hör zu und vergleiche.** ▶ 44

16 **Ergänze: *in den, ins, in die*?**

1. Am Montag gehe ich _____ Sprachschule.

2. Am Dienstag gehe ich _____ Schwimmbad.

3. Am Mittwoch gehe ich _____ Park.

4. Am Donnerstag gehe ich _____ Bibliothek.

5. Am Freitag gehe ich _____ Jugendzentrum.

6. Am Samstag gehe ich _____ Kino.

7. Am Sonntag gehe ich _____ Restaurant.

17   **Bilde Minidialoge wie im Beispiel.**

1. ▶ *Gehen wir ins Kino?*

   ▶ *Gute Idee! Ins Kino komme ich gern mit.*

2. ▶ _____

   ▶ _____

3. ▶ _____

   ▶ _____

4. ▶ _____

   ▶ _____

5. ▶ _____

   ▶ _____

6. ▶ _____

   ▶ _____

7. ▶ _____

   ▶ _____

8. ▶ _____

   ▶ _____

18   **Ergänze: *um* oder *am*?**

1. Timo frühstückt _____ 7.15 Uhr.

2. _____ Sonntag schlafe ich bis 10 Uhr.

3. Die Schule fängt _____ 8.15 Uhr an.

4. Wir essen _____ 19 Uhr zu Abend.

5. _____ Montag gehen wir _____ 9 Uhr in die Schule.

6. _____ Samstagabend gehen wir ins Kino.

7. Petra fährt _____ 13 Uhr nach Hause.

8. _____ Abend sehe ich gern fern.

19 Sebastians Wochenplan. Bilde Sätze wie im Beispiel.

Montag	Dienstag	Mittwoch	Donnerstag	Freitag	Samstag	Sonntag
Sprachschule	Kino	nach Berlin	Schwimmbad	Tennisclub	Einkaufszentrum	zu Hause

Am Montag geht Sebastian in die Sprachschule. _____

_____

_____

_____

20 *sein* und *haben* im Präteritum. Ergänze die Tabelle.

	sein	haben
ich		*hatte*
du		
er, es, sie	*war*	

21 *sein* und *haben* im Präteritum. Ergänze die passende Form.

1. Mein Tag in der Schule war total super. In Mathe _____ ich wirklich gut.

2. Sarah _____ gestern großen Hunger, aber leider _____ die Mensa geschlossen.

3. _____ du gestern auf dem Fußballplatz? _____ du das wichtige Spiel?

4. Wer _____ das? – Das war Frau Fellner, ich _____ sie in der 5. Klasse in Englisch.

5. Wie _____ Ihr Tag, Herr Janko? – Na ja, ich _____ viel Arbeit, es _____ ein bisschen stressig.

6. _____ du gestern im Kino? – Nein, ich _____ leider keine Zeit.

22   Interview mit Stefan. Lies den Text und ergänze Stefans Antworten.

Aus dem Leben eines Nachwuchskickers

München, Säbener Straße 53. Das ist die Adresse von Stefan. Auf den ersten Blick nichts Besonderes, aber jeder Fan vom FC Bayern München weiß genau: Dort liegt das Jugendinternat des berühmten Fußballclubs. Dort absolviert Stefan seine Fußballlehre. „Ich möchte Fußballer werden, klar! Hoffentlich schaffe ich es ...", sagt der 16-Jährige. Aber wie läuft sein Tag ab? Um 6 Uhr steht er auf, dann frühstückt er gemeinsam mit den anderen Jungen. Um 7.30 Uhr fährt Stefan in ein Münchner Gymnasium. Er besucht dort die 10. Klasse. Um 14 Uhr, nach dem Essen in der Mensa, kommt er schnell ins Internat zurück. Dann hat er zwei Stunden Training und danach lernt er für die Schule. Einige Lehrer helfen den Jungen bei den Hausaufgaben und machen sie fit für die Klassenarbeiten und Prüfungen. Dienstags und donnerstags hat er auch abends Training, und zwar von 19.00 bis 20.30 Uhr. „An solchen Tagen bist du wirklich fix und fertig." Am Samstagnachmittag ist der Höhepunkt der ganzen Woche: Das Spiel! Im Moment gibt es für Stefan nur eins: Fußball. Aber was, wenn es nicht klappt? „Dann will ich studieren und Sportlehrer werden."

▶ Stefan, wo wohnst du im Moment?

▶ _____

▶ Und was machst du dort?

▶ _____

▶ Wie läuft dein Tag ab?

▶ _____

_____

_____

▶ Wann hast du Training?

▶ _____

▶ Was ist im Moment wichtig für dich?

▶ _____

23 **Schreib eine E-Mail und antworte dabei auf die Fragen.**

Um wie viel Uhr stehst du auf? Was isst du zum Frühstück? Wann fängt die Schule an?
Wie fährst du zur Schule: mit dem Bus, mit dem Auto oder gehst du zu Fuß? Wann kommst
du nach Hause zurück? Wie lange lernst du für die Schule? Was machst du am Nachmittag?
Um wie viel Uhr isst du zu Abend?

Liebe Marion,

heute erzähle ich dir, wie mein Tag abläuft. _____

_____

_____

_____

_____

Schreib mir bald. Viele liebe Grüße.

Dein(e)

24 **Umfrage in der Klasse: Frag 5 Personen und notiere die Antworten.**
Vergleiche mit deinem Partner / deiner Partnerin.

1. Was machst du am Mittwoch um 16 Uhr?
2. Wann stehst du auf?
3. Von wann bis wann machst du Hausaufgaben?
4. Wie lange schläfst du am Sonntag?
5. Wo warst du am Samstagabend?

25 **Ergänze die fehlenden Verbformen und lies sie dann laut.**

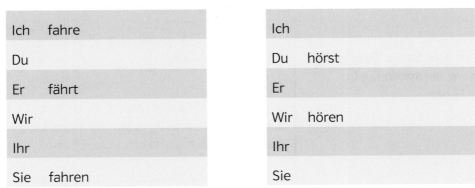

Ich	fahre
Du	
Er	fährt
Wir	
Ihr	
Sie	fahren

Ich	
Du	hörst
Er	
Wir	hören
Ihr	
Sie	

26 **Zur Kontrolle: Hör zu und vergleiche. Wo klingt _r_ wie der Konsonant in „Reis",**
wo wie der Vokal in „Uh_r_"? ⊙ 45

Ich kann ...

in einem Statement erkennen, ob eine Person für oder gegen etwas ist.

LESEN

Ist Dario für oder gegen Fastfoodrestaurants? Lies und kreuze an.

Das Essen bei McBurg schmeckt mir nicht so gut, ich mag keine Hamburger und auch Pommes finde ich nicht so gut. Aber ich bin mit meinen Freunden oft dort, wir trinken etwas und quatschen. Man kann schnell etwas essen und es ist alles nicht so teuer, das finde ich nicht schlecht.

Dario ist ☐ für ☐ gegen Fastfoodrestaurants.

in kurzen Statements Speisen und Getränke verstehen.

HÖREN

Was ist das Lieblingsessen von Timo? Hör zu und kreuze an. ⊚ 46

Timo isst am liebsten ☐ Schnitzel ☐ Spaghetti ☐ Suppe.

jemanden dazu befragen, was er gern bzw. nicht gern isst.

AN GESPRÄCHEN TEILNEHMEN

Sprich mit deinem Partner / deiner Partnerin. Was isst du gern, was nicht so gern? Fragt und antwortet.

meinen eigenen Tagesablauf kurz beschreiben.

ZUSAMMENHÄNGEND SPRECHEN

Wie läuft dein Tag ab? Erzähl in der Klasse.

in einer E-Mail einen normalen Tag in meinem Leben beschreiben.

SCHREIBEN

Eine E-Mail an Emilia. Beschreib einen ganz normalen Tag in deinem Leben.

Liebe Emilia,
vielen Dank für deine Mail. Wow, du bist ja wirklich sehr aktiv ☺!!! Also ein ganz normaler Tag bei mir sieht so aus: Ich stehe um ... auf. Dann ...

Lektion 9
Sport, Sport, Sport

9

1 **Sportarten. Was kannst du (nicht)? Kreuze an und bilde Sätze.**

	Das kann ich sehr gut!	Das kann ich nicht so gut.	Das kann ich überhaupt nicht.
Tennis spielen	☐	☐	☐
reiten	☐	☐	☐
Ski fahren	☐	☐	☐
schwimmen	☐	☐	☐
inlineskaten	☐	☐	☐
Fußball spielen	☒	☐	☐
Handball spielen	☐	☐	☐
Volleyball spielen	☐	☐	☐
surfen	☐	☐	☐

Ich kann sehr gut Fußball spielen, _____

_____

2 **Was passt zu den Sportarten? Was brauchst du? Ergänze und bilde dann Sätze wie im Beispiel.**

1. joggen   →   *der Jogginganzug* _____

2. Tennis spielen   →   _____

3. reiten   →   _____

4. Ski fahren   →   _____

5. schwimmen   →   _____

6. inlineskaten   →   _____

7. Fußball spielen   →   _____

8. surfen   →   _____

1. *Ich will joggen. Ich brauche einen Jogginganzug.*

2. _____

3. _____

4. _____

5. _____

6. _____

7. _____

8. _____

3 Ergänze die Tabellen.

Ich	kann		spielen
Du			
Er / Es / Sie		gut Tennis	
Wir			
Ihr	könnt		
Sie			

Ich			
Du	willst		joggen
Er / Es / Sie		morgen gern	
Wir			
Ihr			
Sie	wollen		

4 Bilde Sätze.

1. können, spielen, sehr gut, mein Bruder, Klavier

   _____

2. Italienisch, meine Freunde, lernen, wollen

   _____

3. du, morgen, zu mir, können, kommen ?

   _____

4. einen Skikurs, wir, wollen, besuchen, im Winter

   _____

5. zusammen, wir, können, lernen

   _____

6. können, du, das Buch, geben, mir ?

   _____

7. in Spanien, Urlaub machen, meine Eltern, wollen

   _____

8. gehen, Tina, wollen, heute, ins Kino

   _____

5 Ordne die Dialoge.

A

1. Toll! Ich will auch Ski fahren lernen. Nächstes Jahr mache ich einen Skikurs in Österreich, in Tirol.
2. Nein, ich kann nicht Ski fahren. Und du?
3. Das ist eine sehr gute Idee. Tirol ist sehr schön. Wir fahren jedes Jahr nach Kitzbühel.
4. Ja, ich kann sehr gut Ski fahren.
5. Kannst du Ski fahren?

5				

B

1. Tanja, kann ich bitte deinen Tennisschläger haben?
2. Natürlich! Ich kann sehr gut Tennis spielen.
3. Ach, Tobias spielt aber total super Tennis! Kannst du auch so gut Tennis spielen?
4. Ich will mit Tobias spielen.
5. Na gut, dann kannst du meinen Tennisschläger nehmen.
6. Warum? Was willst du machen?

1				

6 Lies den Text und ergänze die Informationen.

Die Geschichte des Triathlons

Triathlon: Das ist die Kombination der drei Sportarten Schwimmen, Radfahren und Laufen.

Die Geschichte des Triathlons beginnt Ende der 70er Jahre auf Hawaii: Am 18. Februar 1978 starten 15 Männer zum ersten Hawaii-Triathlon, dem so genannten Ironman. Das ist eine extrem anstrengende Kombination: 3,8 km Schwimmen, 180 km Radfahren und 42 km Laufen. Natürlich ohne Pause! Gordon Haler, ein 27-jähriger Taxifahrer, gewinnt in 11:46:58 Stunden.

Es gibt heute viele verschiedene Distanzen wie z. B. den „Jedermanntriathlon" (0,5 km Schwimmen, 20 km Radfahren und 5 km Laufen), aber der Ironman auf Hawaii über die Langdistanz ist das absolute Highlight im Terminkalender der Triathleten. Jedes Jahr finden sich im Oktober etwa 1500 Starter und viele Fans in der kleinen Ortschaft Kona auf Big Island zusammen. Die wunderbare, tropische Atmosphäre, das herrlich klare blaue Meer und die vielen Blumenkränze machen diesen Dreikampf zu einem unvergesslichen Erlebnis.

Triathlon:

Sportarten? _____

1. Triathlon:

Wann? _____ Sieger? _____

Ironman auf Hawaii:

Wie viele Kilometer? _____

Wann? _____

7 **Was kann man wo machen? Ordne zu und bilde dann Sätze.**

schwimmen joggen Aerobic Volleyball Yoga Krafttraining inlineskaten
Wasserball Handball Gymnastik

Fitnessstudio	*Aerobic,*
Park	
Schwimmbad	
Turnhalle	

In einem Fitnessstudio kann man Aerobic machen, _____

_____

In einem Park _____

_____

In einem Schwimmbad _____

_____

In einer Turnhalle _____

_____

8 **Bilde Sätze.**

Karin		reiten.			in den Park.
Ich	wollen	schwimmen.	Ich		ins Fitnessstudio.
Sebastian	will	joggen.	Er	gehe	in den Tennisclub.
Wir	möchte	Tennis spielen.	Sie	geht	in die Reitschule.
Oliver und Markus	möchten	Volleyball spielen.	Wir	gehen	ins Schwimmbad.
Meine Freunde		Aerobic machen.			in die Turnhalle.

Karin will Aerobic machen. Sie geht ins Fitnessstudio. _____

_____

9 *Wo* oder *Wohin?* Ergänze die Fragen und kreuze die richtige Antwort an.

1. _____ spielst du Volleyball?
☐ a In der Turnhalle.
☐ b In die Turnhalle.

2. Du willst reiten. _____ gehst du?
☐ a In der Reitschule.
☐ b In die Reitschule.

3. Du willst Tennis spielen. _____ gehst du?
☐ a Im Tennisclub.
☐ b In den Tennisclub.

4. _____ machst du Aerobic?
☐ a Im Fitnessstudio.
☐ b Ins Fitnessstudio.

5. Du möchtest braun werden. _____ gehst du?
☐ a Im Solarium.
☐ b Ins Solarium.

6. _____ schwimmst du?
☐ a Im Schwimmbad.
☐ b Ins Schwimmbad.

10 Was musst du jeden Tag machen? Was möchtest du machen? Notiere Sätze.

Ich muss früh aufstehen.   *Ich möchte um 10 Uhr aufstehen.*

_____   _____

_____   _____

_____   _____

11 Bilde Minidialoge wie im Beispiel.

Englisch lernen ⟶ einen Englischkurs besuchen

▶ Ich will Englisch lernen.
▶ Dann musst du einen Englischkurs besuchen.

1. fit bleiben ⟶ ins Fitnessstudio gehen

_____

2. neue Leute kennen lernen ⟶ ins Jugendzentrum gehen

_____

3. Volleyball spielen ⟶ in die Turnhalle gehen

_____

4. relaxen ⟶ ein Buch lesen, Musik hören

_____

5. Spaß haben ⟶ deine Freunde treffen

_____

12 Ergänze die Tabelle.

müssen				
ich		wir		
du		ihr		*müsst*
er, es, sie	*muss*	sie, Sie		

13 *Können, wollen, müssen.* Ergänze die passende Form.

1. Tina _____ nicht kommen. Sie _____ lernen.

2. Ich _____ nicht Ski fahren, aber ich _____ es lernen.

3. Herr Meier _____ den Prater sehen. Also _____ er nach Wien fahren.

4. Dein Deutsch ist nicht so gut. Du _____ mehr lernen.

5. Wir _____ im Sommer nach Kreta fahren.

6. _____ ich bitte dein Handy nehmen?

7. _____ wir heute alle zusammen in die Disco gehen?

8. Es ist schon spät. Ich _____ nach Hause gehen.

9. Was? Du _____ nicht Fußball spielen?

   Aber alle Jungen _____ Fußball spielen.

10. Was _____ ihr spielen? Volleyball oder Handball?

14 Akkusativ oder Dativ? Ergänze.

1. Wohin gehst du heute Abend? Ins Fitnessstudio.

2. Wo machst du Krafttraining? _____ Turnhalle.

3. Wohin gehst du am Wochenende? _____ Tennisclub.

4. Wohin gehst du so schnell? _____ Schwimmbad.

5. Wo triffst du Petra? _____ Sportzentrum.

6. Wo spielst du Squash? _____ Squashclub.

7. Wohin gehst du joggen? _____ Park.

15 Interview mit Christian. Richtig (R) oder falsch (F)? Hör zu und kreuze an. ▶ 47

		R	F
1.	Christian ist noch Student.	☐	☐
2.	Christian arbeitet als Sportlehrer.	☐	☐
3.	Christian möchte als Profisportler arbeiten.	☐	☐
4.	Christian kann Ski fahren.	☐	☐
5.	Christian kann sehr gut Handball spielen.	☐	☐
6.	Christian will ein neues Mountainbike kaufen.	☐	☐
7.	Christian kann ohne Sport nicht leben.	☐	☐
8.	Christian spielt Fußball in der 2. Bundesliga.	☐	☐

16 Ein Sportler-Porträt: Benutze die Informationen aus dem Steckbrief und schreib einen kurzen Text.

Name	Michael Ballack
Geburtsjahr	1976
Wohnort	London
Beruf	Fußballprofi beim FC Chelsea London
Erfolge	Deutscher Meister (1998, 2003, 2005, 2006), Fußballer des Jahres (2002, 2003, 2005)
Andere Sportarten	Golf, Schwimmen, Tennis
Familienstand	verheiratet, 3 Söhne: Louis, Emilio, Jordi
Hobbys	Reisen, Kino, Musik hören

Michael Ballack ist der Kapitän der deutschen Fußballnationalmannschaft. Er ist 1976 geboren.

17 Bildet Gruppen und wählt eine Frage. Stellt sie allen in der Klasse und macht eine Statistik.

1. Was ist dein Lieblingssport? (Jungen / Mädchen)
2. Welchen Sport magst du überhaupt nicht? (Jungen / Mädchen)
3. Wie oft in der Woche machst du Sport?
4. Wie lange machst du jeden Tag Sport?

18 Hör zu und achte auf den Buchstaben s. Welche s klingen wie der Sch-Laut? Unterstreiche. ▶ 48

▶ Ich kann sehr gut Tennis spielen, und du?
▶ Nicht so gut. Ich spiele lieber Fußball, das macht mehr Spaß.
▶ Das macht mir nicht so viel Spaß. Gehen wir ins Schwimmbad?
▶ Ja gerne! Da können wir in der Sonne liegen und Eis essen.
▶ Na dann los!

Ergänze die Regel:
Am Wortanfang (vor einem Konsonanten) klingt s wie _____

Lektion 10
Meine Klamotten

10

1 Hier sind verschiedene Kleidungsstücke versteckt. Such und notiere sie.

V	S	T	S	M	W	S	C	H	U	H	U	O	K	B
A	N	O	R	A	K	Z	B	X	M	L	B	S	T	L
J	C	P	T	N	P	U	L	L	O	V	E	R	A	U
E	U	I	C	T	Z	L	K	F	I	P	Q	O	R	S
A	W	S	X	E	H	J	L	C	M	J	A	C	K	E
N	R	P	O	L	O	H	E	M	D	O	L	K	D	B
S	W	E	A	T	S	H	I	R	T	H	I	O	R	V
L	G	X	A	S	E	T	D	R	Q	J	L	K	P	Z

2 Maskulin, neutral oder feminin? Ordne die Wörter aus Übung 1 zu.

maskulin der / ein	neutral das / ein	feminin die / eine

3 Was ziehen die Personen an? Bilde Sätze.

Jörg   Stefan   Petra   Tina   Herr Bauer   Frau Meier

Petra zieht eine Hose an.

_____

4 **Was trägst du wann? Ergänze.**

1. Morgen gehe ich in ein Rock-Konzert. Ich ziehe _____ an.

2. Heute Abend gehe ich ins Kino. Ich ziehe _____ an.

3. Heute Abend gehe ich in die Disco. Ich ziehe _____ an.

4. Morgen fahre ich zum Skifahren nach St. Moritz. Ich ziehe _____ an.

5. Am Freitag fahre ich nach Hamburg. Ich ziehe _____ an.

5 **Wie lautet der Plural? Ergänze.**

ein T-Shirt

zwei _____

ein Rock

zwei _____

eine Hose

zwei _____

ein Polohemd

zwei _____

ein Kleid

zwei _____

ein Schuh

zwei _____

ein Stiefel

zwei _____

ein Pullover

zwei _____

eine Jacke

zwei _____

6 **Bilde Minidialoge wie im Beispiel.**

die Bluse ▶ _____

▶ _____

die Stiefel ▶ _____

▶ _____

der Rock ▶ _____

▶ _____

das Polohemd ▶ _____

▶ _____

die Jeans ▶ _____

▶ _____

der Pullover ▶ _____

▶ _____

Gefällt dir mein Sweatshirt?

Nein, es gefällt mir nicht!

Ja, es gefällt mir sehr!

7 **Bilde Minidialoge wie im Beispiel.**

das Kleid / elegant ▶ *Kaufst du das Kleid?* _____

▶ *Ja, ich kaufe es. Ich finde es elegant.* _____

die Schuhe / unbequem ▶ _____

▶ *Nein,* _____

der Anorak / praktisch ▶ _____

▶ *Ja,* _____

die Bluse / hässlich ▶ _____

▶ *Nein,* _____

der Pullover / altmodisch ▶ _____

▶ *Nein,* _____

die Hüfthose / super ▶ _____

▶ *Ja,* _____

8 **Bilde Sätze wie im Beispiel.**

Petra		finden	den	Mantel	super.	Ich	kauft	ihn	
Ich		finde	die	Schuhe	hässlich.	Er	kaufen	sie	
Tobias		findet	das	T-Shirt	elegant.	Sie	kaufe	es	(nicht).
Meine Eltern				Pullover	bequem.	Wir			
Wir				Jeans	unpraktisch.				
				Hose	nicht so schön.				
				Rock	sehr modisch.				
				Anorak					
				Jacke					

Petra findet den Pullover sehr modisch. Sie kauft ihn.

_____

9 **Das gefällt mir, das gefällt mir nicht. Was sagst du? Notiere.**

☺   ☹

praktisch, _____   *nicht so schön,* _____

_____   _____

_____   _____

10 **Einkaufstipps. Bilde Minidialoge wie im Beispiel.**

1 Minirock – zu unbequem

2 T-Shirt – zu sportlich

3 Stiefel – zu elegant

4 Mantel – zu warm

5 Pullover – zu altmodisch

6 Rock – zu unpraktisch

1. ▶ *Wie findest du den Minirock?*

   ▶ *Ich finde ihn zu unbequem. Nimm doch die Hose!*

2. ▶ _____

   ▶ _____

3. ▶ _____

   ▶ _____

4. ▶ _____

   ▶ _____

5. ▶ _____

   ▶ _____

6. ▶ _____

   ▶ _____

11 Bilde einen oder zwei Sätze.

1. dein, sehr, Anorak, gefällt, mir

   _____

2. wie, du, Pullover, Steffi, von, findest, den ?

   _____

3. die, billig, Schuhe, sind ./ kaufe, sie, ich

   _____

4. Mantel, ich, deinen, altmodisch, finde

   _____

5. nicht, Polohemd, das, gefällt, mir . / nicht, kaufe, es, ich

   _____

6. die, kosten, was, Jeans ?

   _____

7. meine, findet, Bluse, Mutter, deine, elegant, sehr

   _____

8. dir, das, von, Top, Tanja, gefällt ?

   _____

12 **Hör zu und ergänze die Sätze.** ◉ 49

1. Ich trage gern _____ .

2. Heute habe ich ein___ _____ und ein___ schwarze _____ an.

3. Ich brauche ein___ _____ . Ich kaufe d___ _____ da.

4. Gefällt dir d___ _____ von Tina? Ja, ich finde _____ sehr elegant.

5. Kaufst du d___ _____ oder d___ _____ da?

6. Petra kauft nur teure _____ .

7. Ich finde dein___ _____ sehr sportlich und praktisch.

8. Ich suche mein___ _____ . Ich finde _____ nicht. Hast du _____ gesehen?

13 **Partizip Perfekt. Welche Formen findest du? Markiere und notiere den Infinitiv.**

gekauftktundegegangenwrsehgetrunkenmanskaufgegessenjiplutgefahrenega
gesehendumibgeschlafenlaufgenommenzestgemacht

gehen, _____

_____

14 **Perfekt. Ergänze die Sätze.**

1. Steffi _____ eine Einkaufstour _____ .

2. Du _____ einen Kakao _____ .

3. Melanie und Lukas _____ ins Kino _____ .

4. Ich _____ die weiße Bluse _____ .

5. Wir _____ mit dem Shoppingbus _____ .

6. Tina und Moritz, was _____ ihr zu Mittag _____ ?

15 Interview. Sprich mit deinen Klassenkameraden. Stell immer nur eine Frage und notiere die Antworten. Berichte dann in der Klasse.

1. Was hast du gestern Abend gegessen?
2. Was hast du heute Morgen getrunken?
3. Wie lange hast du am Wochenende geschlafen?
4. Wann bist du gestern ins Bett gegangen?
5. Was hast du gestern gekauft?

> *1. Elena hat gestern Abend Pizza gegessen.*

16 Richtig (R) oder falsch (F) Hör zu und kreuze an. ◉ 50

	R	F
Eva gefällt es, mit der Mode zu gehen.	☐	☐
Sie findet Hüfthosen nicht praktisch.	☐	☐

	R	F
Patrick trägt oft teure Klamotten.	☐	☐
Seine Mütze hat er nur in der Schule auf.	☐	☐

	R	F
Sonja mag die neue Sommermode.	☐	☐
Sie trägt gern helle Farben.	☐	☐

	R	F
Mark geht immer mit der Mode.	☐	☐
Er möchte seine Eltern provozieren.	☐	☐

17 Beantworte die Fragen.

1. Gehst du mit der Mode?
2. Kaufst du Markenklamotten?
3. Wie findest du Markenklamotten?
4. Was trägst du gern, was nicht so gern?
5. Was ist dein Lieblingskleidungsstück?

18 Lies die Aussagen der Jugendlichen. Was denkst du? Kommentiere und nutze die Redemittel.

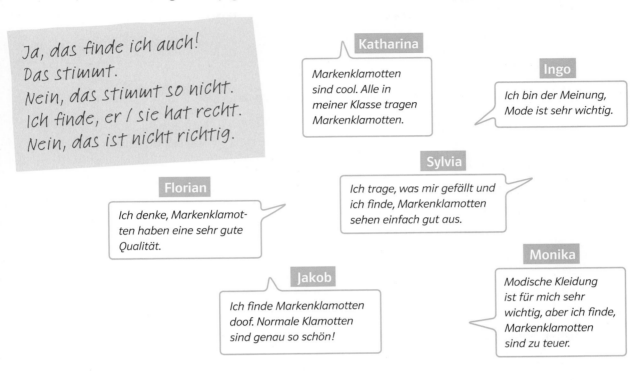

Ja, das finde ich auch!
Das stimmt.
Nein, das stimmt so nicht.
Ich finde, er / sie hat recht.
Nein, das ist nicht richtig.

Katharina
Markenklamotten sind cool. Alle in meiner Klasse tragen Markenklamotten.

Ingo
Ich bin der Meinung, Mode ist sehr wichtig.

Florian
Ich denke, Markenklamotten haben eine sehr gute Qualität.

Sylvia
Ich trage, was mir gefällt und ich finde, Markenklamotten sehen einfach gut aus.

Monika
Modische Kleidung ist für mich sehr wichtig, aber ich finde, Markenklamotten sind zu teuer.

Jakob
Ich finde Markenklamotten doof. Normale Klamotten sind genau so schön!

19 Wie klingen d, g, und b? Hör zu und achte auf den dick gedruckten Konsonanten. ▶ 51

Hem**d**en – Hem**d**   Ta**g**e – Ta**g**   lie**b**en – lie**b**
Klei**d**er – Klei**d**   wir mö**g**en – ich ma**g**   wir ha**b**en – ich ha**b**
Freun**d**e – Freun**d**   zei**g**en – Zei**g**!   schrei**b**en – Schrei**b**!

Ergänze die Regel:

p   t   k

Am Wortende klingt d wie _____ , g wie _____ und b wie _____ .

Ich kann ...

in einem Aushang verstehen, warum eine Person ein Kleidungsstück verkaufen möchte.

LESEN

Warum verkauft Jakob seinen Pullover? Lies und kreuze an.

> BRAUCHST DU NEUE KLAMOTTEN?
> Ich verkaufe einen Pullover. Er ist grün, ca. Größe S, meine Oma hat ihn selbst gemacht.
> Er ist schön warm, aber leider ist er zu klein für mich. Preis: 15 Euro. Kontakt: Jako@yahoo.com

- [ ] a Jakob mag die Farbe nicht.
- [ ] b Der Pullover passt Jakob nicht.
- [ ] c Jakob mag seine Oma nicht.

in kurzen Interviews über sportliche Aktivitäten die Sportart verstehen.

HÖREN

Welchen Sport macht Franziska? Hör zu und kreuze an. ⊚ 52

Franziska spielt mit ihrer Clique   [ ] Handball   [ ] Volleyball   [ ] Basketball

einen Vorschlag für eine gemeinsame Aktivität machen und diesen höflich ablehnen.

AN GESPRÄCHEN TEILNEHMEN

Sprich mit deinem Partner / deiner Partnerin. Du möchtest am Wochenende etwas gemeinsam machen. Er / Sie kann nicht. Fragt und antwortet.

beschreiben, was ich aktuell anhabe.

ZUSAMMENHÄNGEND SPRECHEN

Was hast du heute an? Beschreib deine Kleidung.

eine kurze E-Mail als Reaktion auf einen Aushang formulieren.

SCHREIBEN

Du möchtest den Pullover von Jakob kaufen. Schreib eine E-Mail.

> Hallo Jakob,
> ich habe deine Anzeige gesehen und ...

Glossar

Im Glossar findest du alle wichtigen Wörter aus Magnet A1 in alphabetischer Reihenfolge. Hinter jedem Wort steht das Kapitel, in dem es zum ersten Mal vorkommt.

Beispiel: aktiv KB1 = Kursbuch, Lektion 1

Nomen sind mit Artikel und Pluralform angegeben: das Brot, -e. Bei Nomen, die man nur im Singular oder nur im Plural gebraucht, steht dies in Klammern: die Ferien (Plural).

Verben sind im Infinitiv aufgeführt. Bei Verben mit besonderen Formen im Präsens findest du die 3. Person Singular in Klammern: helfen (er hilft)

Abkürzungen:
KB = Kursbuch
AB = Arbeitsbuch
ZS = Zwischenstation

A

ab und zu	KB8
der Abend, -e	KB8
aber	KB3
das Abitur (Singular)	KB5
ablaufen (er läuft ab)	KB8
die Adresse, -n	KB1
aktiv	KB5
alle	KB5
allein	KB4
der Alltag (Singular)	KB2
alt	KB1
das Alter (Singular)	KB5
altmodisch	KB10
am	KB5
anfangen (er fängt an)	KB8
anhaben (er hat an)	KB10
ankommen (er kommt an)	KB8
der Anorak, -s	KB10
anrufen (er ruft an)	KB8
anziehen	AB10
der Apfel, ̈	ZS4
der Apfelsaft, ̈e	KB7
Arabisch	KB2
die Arbeit (Singular)	KB8
auch	KB1

auf	KB4
Auf Wiedersehen!	KB0.1
aufstehen (er steht auf)	KB8
aus	KB1
aus sein (er ist aus)	AB8
sich ausruhen (er ruht sich aus)	KB8
aussehen (er sieht aus)	KB10
das Auto, -s	KB0.3
autoritär	KB5

B

das Bad, ̈er	KB8
die Badehose, -n	KB9
bald	AB1
der Ball, ̈e	KB0.3
die Banane, -n	KB6
die Band, -s	KB2
der Basketball (Singular)	KB5
beginnen	KB5
bei	KB4
beide	KB4
bekannt	KB7
beliebt	KB7
bequem	KB10
der Berg, -e	KB9

der Beruf, -e	AB9
besonders	KB5
bestellen	KB7
bester, beste, bestes	KB4
besuchen	KB5
das Bett, -en	KB8
die Bibliothek, -en	KB6
das Bild, -er	KB6
billig	ZS5
die Biologie (Singular)	KB5
bis	KB5
ein bisschen	KB2
bitte	KB6
blau	KB0.3
bleiben	KB5
der Bleistift, -e	KB6
blöd	KB2
die Bluse, -n	KB10
der Braten, -	AB7
die Bratwurst, ̈e	KB7
brauchen	KB6
braun	KB0.3
braun werden (er wird braun)	KB9
bringen	KB6
das Brot, -e	KB7

das Brötchen, -	KB7	der Donnerstag, -e	KB5	fahren (er fährt)	KB8
der Bruder, ̈	KB3	doof	KB2	das Fahrrad, ̈er	KB9
das Buch, ̈er	KB5	dort	KB8	die Familie, -n	KB3
das Buffet, -s	ZS4	du	KB1	der Familienstand (Singular)	AB9
das Büro, -s	KB8	der Durst (Singular)	KB7	der Fan, -s	KB4
der Bus, -se	KB8	dynamisch	KB5	die Farbe, -n	KB10
die Butter (Singular)	KB7			fast	KB8

C

das Café, -s	AB4	**E**		das Fastfoodrestaurant, -s	KB7
die Cafeteria, -s	KB6	das Ei, -er	KB7	die Ferien (Plural)	KB5
die CD, -s	KB0.3	ein, eine	KB0.3	fernsehen (er sieht fern)	KB2
chaotisch	KB4	einfach	AB0.2	das Fest, -e	AB4
der Chat, -s	KB10	einkaufen (er kauft ein)	KB8	der Film, -e	ZS3
chatten	ZS1	das Einkaufszentrum, Einkaufszentren	KB4	finden (er findet)	KB2
der Chef, -s	KB8	einmal	KB9	der Finger, -	ZS4
der Chor, ̈e	KB4	der Einwohner, -	KB2	der Fisch, -e	KB7
die Clique, -n	KB4	das Einzelkind, -er	KB3	fit	KB9
der Comic, -s	KB2	die Eisdiele, -n	KB4	das Fitnessstudio, -s	KB8
der Computer, -	KB0.3	elegant	KB10	das Fleisch (Singular)	KB7
der Computerraum, ̈e	KB6	die Eltern (Plural)	KB1	die Fleischsoße, -n	KB7
das Computerspiel, -e	ZS2	der Elternabend, -e	ZS4	Frankreich	KB1
cool	KB2	die E-Mail, -s	ZS5	Französisch	KB2
die Cornflakes (Plural)	KB7	die E-Mail-Adresse, -n	KB1	Frau	AB0.1
das Croissant, -s	KB7	das Ende (Singular)	ZS3	frei	AB6
		Englisch	KB2	der Freitag, -e	KB5
D		sich entscheiden (er entscheidet sich)	KB7	die Freizeit (Singular)	KB2
da	KB6	entspannen	KB9	der Freund, -e	KB4
das Dach, ̈er	KB0.3	er	KB2	die Freundin, -nen	KB4
danke	KB0.1	erklären	KB5	frisch	ZS4
dann	KB8	die Erklärung, -en	KB5	das Frühstück (Singular)	KB7
das	KB0.3	die Ernährung (Singular)	KB7	frühstücken	KB7
dauern	AB8	die Erwachsenen (Plural)	KB9	für	KB4
dazu	ZS4	erzählen	AB5	der Fußball (Singular)	KB2
dein, deine	KB1	es gibt	KB6	der Fußballplatz, ̈e	ZS3
denken	KB10	essen (er isst)	KB5		
der	KB0.3	etwas	KB7	**G**	
das Dessert, -s	ZS4	euer, eure	KB5	ganz	AB3
Deutsch	KB2	der Euro, -s	KB0.2	der Garten, ̈	ZS2
Deutschland	KB1	das Experiment, -e	AB5	geben (er gibt)	AB9
die	KB0.3			das Gebirge, -	KB9
der Dienstag, -e	KB5	**F**		geboren	KB1
die Disco, -s	ZS4	das Fach, ̈er	KB5	geduldig	KB4
die Dolmetscherin, -nen	AB2	die Fahne, -n	KB2	geeignet	ZS5
				gefallen (er gefällt)	KB10

gehen	KB4	der Handball (Singular)	KB2	das Interesse, -n	KB4
die Geige, -n	KB5	das Handy, -s	KB1	das Internat, -e	AB8
gelb	KB0.3	die Handynummer, -n	KB1	das Internet (Singular)	KB2
gemeinsam	KB4	hässlich	KB10	Italien	KB1
das Gemüse, -	KB7	die Hauptstadt, ⸚e	KB0.4	Italienisch	KB5
die Geographie (Singular)	KB5	die Hausaufgabe, -n	KB4		
gern	KB2	das Haustier, -e	KB3	**J**	
das Geschenk, -e	ZS5	das Heft, -e	KB6		
die Geschichte (Singular)	KB5	heiß	AB7	ja	KB1
geschieden	KB3	heißen	KB1	die Jacke, -n	KB10
geschlossen	AB8	helfen (er hilft)	KB9	das Jahr, -e	KB5
die Geschwister (Plural)	KB3	hell	AB10	der Jazz-Keller, -	KB8
gestern	KB8	der Herbst (Singular)	KB5	jeder, jedes, jede	KB7
gesund	KB7	die Herkunft (Singular)	ZS1	die Jeans (Plural)	KB10
das Getränk, -e	KB7	Herr	AB0.1	jetzt	KB9
gewinnen	KB0.2	heute	KB6	joggen	KB9
die Gitarre, -n	KB2	hier	KB6	der Jogginganzug, ⸚e	KB9
das Glas, ⸚er	KB7	hilfsbereit	KB4	der Joghurt, -	KB7
gleich	ZS4	der Himmel (Singular)	KB0.3	die Jugendlichen (Plural)	KB9
glücklich	KB10	das Hobby, -s	KB2	das Jugendzentrum, Jugendzentren	KB4
der Goldfisch, -e	KB3	holen	KB6	jung	KB5
Griechenland	KB1	der Honig (Singular)	KB7	junge Leute	KB2
groß	KB7	hören	KB2	der Junge, -n	KB4
Großbritannien	KB1	die Hose, -n	KB10		
die Großeltern (Plural)	KB3	die Hüfthose, -n	KB10	**K**	
grün	KB0.3	der Hund, -e	KB3		
Grüß dich!	KB1	der Hunger (Singular)	KB7	der Kaffee, -s	KB7
der Gruß, ⸚e	AB8			kalt	AB7
gut	KB4	**I**		der Kakao (Singular)	KB7
Gute Nacht!	KB0.1			der Kanarienvogel, ⸚	KB3
Guten Appetit!	KB7	ich	KB1	das Kaninchen, -	KB3
Guten Morgen!	KB0.1	ich, er, sie möchte	KB3	die Karte, -n	ZS3
Guten Tag!	KB0.1	ich, er, sie will	KB3	die Kartoffel, -n	KB7
das Gymnasium, Gymnasien	KB6	die Idee, -n	KB4	der Käse, -	KB7
die Gymnastik (Singular)	KB9	ideal	AB5	die Katze, -n	KB3
		ihr	KB4	kaufen	KB10
H		ihr, ihre	KB2	kein, keine	KB3
		immer	KB5	der Keks, -e	KB7
haben (er hat)	KB3	in	KB1	kennen	KB4
das Hallenbad, ⸚er	KB9	in der Nähe von	KB1	kennen lernen	ZS1
Hallo!	KB1	die Informatik (Singular)	KB5	das Keyboard, -s	ZS1
der Hamburger, -	KB7	inlineskaten (er skatet)	KB2	der Kilometer, -	AB9
der Hamster, -	KB3	das Instrument, -e	KB2	das Kind, -er	KB5
		intelligent	KB4	das Kino, -s	KB4
		interessant	ZS3	die Klamotten (Plural)	KB10

die Klarinette, -n	KB5	das Mal, -e	KB9	die Nacht, ⸚e	KB8
die Klasse, -n	KB4	man	KB9	der Name, -n	KB4
der Klassenkamerad, -en	ZS3	manchmal	KB4	nehmen (er nimmt)	KB7
das Klavier, -e	KB2	die Mannschaft, -en	KB2	nein	KB1
das Kleid, -er	KB10	der Mantel, ⸚	KB10	nett	KB4
sich kleiden (er kleidet sich)	KB10	das Mäppchen, -	KB6	neu	KB10
das Kleidungsstück, -e	AB10	die Mappe, -n	KB6	nicht	KB3
klein	KB3	der Marker, -	KB6	nichts	KB7
die Klinik, -en	KB9	der Marktplatz, ⸚e	KB4	nie	KB8
kochen	ZS3	die Marmelade, -n	KB7	Norddeutschland	KB0.4
kommen	KB1	die Mathematik (Singular)	KB5	die Nudel, -n	KB7
können (er kann)	KB9	das Meerschweinchen, -	KB3	die Nummer, -n	KB1
kosten	KB6	mein, meine	KB1	nur	KB2
das Krafttraining, -s	KB9	die Mensa, -s	KB5	nützlich	KB6
die Krankengymnastik (Singular)	KB9	die Milch (Singular)	KB7		
die Küche, -en	KB8	das Mineralwasser, ⸚	KB7	**O**	
der Kuchen, -	KB7	der Minirock, ⸚e	KB10	oder	KB3
der Kugelschreiber, -	KB6	mit	KB3	das Obst (Singular)	KB7
der Kurs, -e	KB5	mitkommen (er kommt mit)	KB4	oft	KB8
		der Mittag, -e	KB5	die Oma, -s	KB3
L		der Mittwoch, -e	KB5	der Onkel, -	AB3
das Land, ⸚er	KB0.4	die Mode, -n	KB10	der Opa, -s	KB3
lange	KB4	modisch	KB10	der Orangensaft, ⸚e	KB7
langweilig	KB2	mögen (er mag)	KB7	das Orchester, -	KB5
laufen	AB9	der Monat, -e	ZS5	Ostdeutschland	KB0.4
launisch	KB4	der Montag, -e	KB5	Österreich	KB1
lecker	KB6	morgen	ZS3		
der Lehrer, -	KB5	der Morgen, -	KB8	**P**	
die Lehrerin, -nen	KB5	der Motor, -en	ZS1	der Park, -s	KB4
leider	KB3	der MP3-Player, -	ZS5	die Party, -s	AB4
lernen	KB2	müde	KB10	die Pause, -n	AB6
lesen (er liest)	KB2	die Musik (Singular)	KB2	perfekt	AB2
die Leute (Plural)	KB4	der Musiker, -	KB8	die Person, -en	KB3
lieber	KB4	der Musikraum, ⸚e	KB6	das Pferd, -e	KB3
das Lieblingsessen, -	KB7	das Müsli, -	KB7	die Physik (Singular)	KB5
liegen	KB1	müssen (er muss)	KB9	die Pizza, -s	KB7
das Lineal, -e	KB6	die Mutter, ⸚	KB3	die Pizzeria, -s	KB4
lustig	KB4	die Mütze, -n	KB10	der Platz, ⸚e	KB3
				Polen	KB1
M		**N**		Polnisch	KB2
machen	KB2	nach Hause	KB8	das Polohemd, -en	KB10
das Mädchen, -	KB4	der Nachmittag, -e	KB5	die Pommes (Plural)	KB7
				praktisch	KB10

die PR-Assistentin, -nen	KB8	schrecklich	KB2	Spanisch	KB2
der Preis, -e	ZS4	schreiben	KB6	der Spaß (Singular)	KB5
prima	KB2	schüchtern	KB4	spät	KB8
provozieren	AB10	der Schuh, -e	KB10	später	KB2
der Pullover, -	KB10	der Schuldirektor, -en	KB5	spazieren gehen (er geht spazieren)	KB4
		die Schule, -n	KB5	die Speise, -n	ZS4
R		der Schüler, -	KB2	das Spiel, -e	KB9
Rad fahren (er fährt Rad)	KB2	die Schülerin, -nen	KB2	spielen	KB2
der Radiergummi, -s	KB6	die Schülerzeitung, -en	KB5	der Spielort, -e	KB9
das Radio, -s	KB0.3	der Schulhof, ¨e	AB6	der Spitzer, -	KB6
der Raum, ¨e	AB4	die Schulnote, -n	KB5	der Sport (Singular)	KB2
recht haben (er hat recht)	KB10	die Schultasche, -n	KB6	die Sportart, -en	KB9
die Region, -en	KB7	schwarz	KB0.3	der Sportler, -	KB9
der Reis (Singular)	KB7	die Schweiz	KB1	sportlich	KB2
reiten	KB9	schwer	KB5	das Sportzentrum, Sport-zentren	KB9
die Reitschule, -n	KB9	die Schwester, -n	KB3	die Sprache, -n	KB2
relaxen	KB9	das Schwimmbad, ¨er	KB4	das Sprachlabor, -e	KB6
das Restaurant, -s	AB8	schwimmen	KB2	sprechen (er spricht)	KB2
richtig	KB10	die Schwimmhalle, -n	KB6	das Squash (Singular)	AB9
rot	KB0.3	der Schwimmkurs, -e	KB9	die Stadt, ¨e	AB1
Russisch	KB2	sehen (er sieht)	KB2	das Stadion, Stadien	KB4
		sehr	KB4	stehen	KB10
S		sein	KB1	der Stiefel, -	KB10
der Saft, ¨e	KB7	sein, seine	KB2	still	KB5
sagen	KB2	selten	KB8	Das stimmt (nicht).	KB10
der Salat, -e	KB7	Sie	KB5	die Straße, -n	KB4
der Samstag, -e	KB5	sie (Plural)	KB2	streng	KB5
die Sauna, -s	KB9	sie (Singular)	KB2	stressig	AB8
Schade!	KB8	der Sieger, -	KB9	der Student, -en	AB9
die Schere, -n	KB6	singen	KB4	der Stuhl, ¨e	ZS3
schicken	KB4	der Single, -s	AB5	die Stunde, -n	KB5
die Schildkröte, -n	KB3	Ski fahren (er fährt Ski)	KB9	der Stundenplan, ¨e	KB5
der Schinken, -	KB7	der Ski, -er	KB9	studieren	KB5
schlafen (er schläft)	KB8	die SMS, -	KB4	suchen	KB6
schlecht	KB9	so … wie	ZS2	Süddeutschland	KB0.4
schlimm	AB5	das Sofa, -s	ZS3	süß	AB3
schmecken	AB7	sofort	AB8	super	KB2
schneiden	KB6	das Solarium, Solarien	KB9	die Suppe, -n	AB8
schnell	ZS4	der Sommer (Singular)	KB5	das Surfbrett, -er	KB9
das Schnitzel, -	AB7	die Sonne (Singular)	KB9	surfen	KB2
die Schokolade, -n	KB7	der Sonntag, -e	KB5	das Sweatshirt, -s	KB10
der Schokoriegel, -	AB7	die Spaghetti (Plural)	KB7	sympathisch	KB4
schon	KB4	spannend	AB7	Syrien	KB1
schön	KB10	Spanien	KB1		

T

die Tafel, -n	KB0.3
der Tag, -e	AB3
der Tagesablauf, ¨e	KB8
die Tante, -n	AB3
tanzen	KB9
der Taschenrechner, -	KB6
die Tasse, -n	KB7
der Tee, -s	KB7
telefonieren	KB4
die Telefonnummer, -n	KB0.2
das Tennis (Singular)	KB2
der Tennisclub, -s	KB4
der Tennislehrer, -	KB9
der Tennisplatz, ¨e	KB9
der Tennisschläger, -	KB9
teuer	KB10
das Theater, -	AB5
das Tischtennis (Singular)	KB9
der Toast, -s	KB7
die Tochter, ¨	AB8
toll	KB2
das Top, -s	KB10
der Tourist, -en	ZS4
tragen (er trägt)	KB10
trainieren	KB9
traurig	KB8
treiben	KB2
sich treffen (er trifft sich)	KB4
der Triathlon, -s	AB9
trinken	KB7
die Trompete, -n	KB8
Tschüss!	KB1
das T-Shirt, -s	KB10
die Türkei	KB1
Türkisch	KB2
die Turnhalle, -n	KB4
Tut mir leid!	KB9
der Typ, -en	KB9

U

überall	KB7
die Überraschung, -en	ZS4
die Uhr, -en	KB8
um	KB8
unbequem	KB10
und	KB1
ungeduldig	KB4
ungesund	ZS4
die Universität, -en	KB5
unordentlich	KB5
unpraktisch	KB10
unser, unsere	KB5
der Unterricht (Singular)	KB6
unterrichten	KB5
der Urlaub (Singular)	AB9
die USA	AB2

V

der Vater, ¨	KB3
die Vegetarierin, -nen	ZS4
vegetarisch	AB7
vergessen	AB6
verheiratet	KB5
verkaufen	ZS5
verschieden	AB5
verstehen	KB1
viel	KB2
vielleicht	KB7
der Volleyball (Singular)	KB9
von	KB3
von wann bis wann?	KB8
vor	KB4
der Vormittag, -e	KB8
sich vorstellen (er stellt sich vor)	KB6

W

wann?	KB5
warum?	ZS5
was?	KB2
das Wasser (Singular)	KB7
der Wasserball (Singular)	AB9
weiß	KB0.3
weit weg	KB4
welche?	KB2
wer?	KB1
werden (er wird)	KB2
Westdeutschland	KB0.4
das Wetter (Singular)	KB9
wichtig	KB7
wieder	ZS3
wie lange?	AB9
wie oft?	KB9
wie viel?	KB0.2
wie viele?	KB3
wie?	KB1
die Wiese, -n	KB0.3
der Winter, -	AB9
wir	KB3
wo?	KB1
das Wochenende, -n	KB10
woher?	KB1
wohin?	KB4
wohnen	KB1
der Wohnort, -e	ZS1
wollen (er will)	KB9
das Wort, ¨er	KB2
die Wurst, ¨e	KB7
die Wurstsorte, -n	KB7

Y

das Yoga (Singular)	KB9

Z

zeigen	KB6
das Zentrum, Zentren	AB5
die Zitrone, -n	ZS4
zu	AB6
zu Fuß	AB8
der Zug, ¨e	KB0.3
zu Hause	KB3
zuerst	KB8
die Zukunft (Singular)	KB9
zurückkommen (er kommt zurück)	KB8
zusammen	KB4
zweimal	ZS5

Bildquellennachweis

Avenue Images GmbH (Banana Stock), Hamburg, **33.5, 48.1, 88.5;** Avenue Images GmbH (Image Source / RF), Hamburg, **5.4, 5.5, 5.6;** Avenue Images GmbH (Image Source RF), Hamburg, **23.4;** Avenue Images GmbH (Image Source), Hamburg, **20.2;** Avenue Images GmbH (Imgram Publishing), Hamburg, **28.1, 28.2;** Avenue Images GmbH (Index Stock/HIRB), Hamburg, **33.2;** Avenue Images GmbH (Rubberball RF), Hamburg, **17.2;** Avenue Images GmbH (Stock Disc), Hamburg, **74.2;** Avenue Images GmbH (StockDisc), Hamburg, **17.4, 17.6;** Bananastock RF, Watlington / Oxon, **5.1;** Corbis (Christian Liewig/Liewig Media Sports), Düsseldorf, **28.5;** Corbis (Kurt Krieger), Düsseldorf, **28.4;** Corbis (Pool Photograph), Düsseldorf, **28.6;** Das Fotoarchiv (RF), Essen, **65.2, 65.3, 88.3;** Fotolia LLC (Arnd Drifte), New York, **15.1;** Fotolia LLC (PZ-Foto), New York, **15.3;** Fotosearch Stock Photography (Design Pics), Waukesha, WI, **29.2;** Fotosearch Stock Photography (PhotoDisc), Waukesha, WI, **5.2;** Fotosearch Stock Photography (Stockbyte), Waukesha, WI, **94.4;** iStockphoto (asiseeit), Calgary, Alberta, **80;** iStockphoto (daniel rodriguez), Calgary, Alberta, **17.5;** iStockphoto (David Stevenson), Calgary, Alberta, **22.5;** iStockphoto (Dena Steiner), Calgary, Alberta, **88.2;** iStockphoto (Hector Junquera), Calgary, Alberta, **15.2;** iStockphoto (Jaimie D. Travis), Calgary, Alberta, **22.3;** iStockphoto (Jami Garrison), Calgary, Alberta, **17.1;** iStockphoto (Jani Bryson), Calgary, Alberta, **20.3;** iStockphoto (Jeff McDonald), Calgary, Alberta, **88.1;** iStockphoto (Juanmonino), Calgary, Alberta, **22.1;** iStockphoto (kate_sept2004), Calgary, Alberta, **20.1;** iStockphoto (RF/Gloria-Leigh Logan), Calgary, Alberta, **33.4;** iStockphoto (Shelly Perry), Calgary, Alberta, **62.2;** iStockphoto (Teresa Guerrero), Calgary, Alberta, **83;** iStockphoto (Tracy Whiteside), Calgary, Alberta, **22.4;** JupiterImages photos.com, Tucson, AZ, **5.3, 9.1, 9.2, 9.3, 15.4, 15.5, 17.3, 23.2, 34.2, 48.2, 65.1, 88.4;** Keystone, Hamburg, **28.7;** Klett-Archiv (Grit Kleindienst), Stuttgart, **23.3;** Klett-Archiv (Naudin), Stuttgart, **74.3;** Klett-Archiv (Renate Weber), Stuttgart, **9.4;** laif (Norbert Rzepka/UPI), Köln, **87.2;** Marco Polo Agence Photographique (F. Bouillot), Paris, **33.1, 33.3;** MEV Verlag GmbH, Augsburg, **15.6;** MEV Verlag GmbH (RF), Augsburg, **88.6;** Olaf Stemme, Oesterdeichstrich, **25, 26, 27, 38.1, 38.2, 43.3, 43.4, 43.5, 87.1, 90;** Picture-Alliance (Sven Simon), Frankfurt, **28.8;** shutterstock (Andreas G. Karelias), New York, NY, **22.6;** shutterstock (Andrey Shadrin), New York, NY, **74.1;** shutterstock (Elena Elisseeva), New York, NY, **43.2;** shutterstock (Fedor Selivanov), New York, NY, **15.7;** shutterstock (Karin Lau), New York, NY, **94.2;** shutterstock (Lana Langlois), New York, NY, **62.3;** shutterstock (Maria Veras), New York, NY, **15.8;** shutterstock (Michael Chamberlin), New York, NY, **78;** shutterstock (Monkey Business Images), New York, NY, **43.1, 94.3;** shutterstock (Robert O. Brown Photography), New York, NY, **62.6;** shutterstock (Sannikov Nikolai), New York, NY, **94.1;** shutterstock (Suzanne Tucker), New York, NY, **62.4;** shutterstock (Tamara Kulikova), New York, NY, **62.5;** shutterstock (Teresa Levite), New York, NY, **22.2;** shutterstock (Timothy Large), New York, NY, **62.1;** shutterstock (Tracy Whiteside), New York, NY, **23.1;** shutterstock (Tsian), New York, NY, **75;** shutterstock (Yuri Arcurs), New York, NY, **28.3, 29.1, 34.1, 59;** Yahoo! Deutschland GmbH, München, **28.9**

Nicht in allen Fällen war es uns möglich, den Rechteinhaber der Abbildungen ausfindig zu machen. Berechtigte Ansprüche werden selbstverständlich im Rahmen der üblichen Vereinbarungen abgegolten.

Magnet A1, Arbeitsbuch, Audio-CD

Titel	Lektion, Übung	Länge
1	Lektion 0.1, Übung 10	0:52
2	Lektion 0.1, Übung 11	0:31
3	Lektion 0.2, Übung 5	1:17
4	Lektion 0.2, Übung 7	0:49
5	Lektion 0.2, Übung 9	0:59
6	Lektion 0.2, Übung 10	1:20
7	Lektion 0.2, Übung 13	3:56
8	Lektion 0.2, Übung 14	0:59
9	Lektion 0.3, Übung 3	1:02
10	Lektion 0.3, Übung 13	0:39
11	Lektion 0.4, Übung 8	0:50
12	Lektion 0.4, Übung 12	1:04
13	Lektion 0.4, Übung 13	0:50
14	Lektion 0.4, Ich kann …, Hören	0:22
15	Lektion 1, Übung 6	0:54
16	Lektion 1, Übung 8	0:47
17	Lektion 1, Übung 15	0:56
18	Lektion 1, Übung 17	0:44
19	Lektion 2, Übung 6	0:41
20	Lektion 2, Übung 15	0:43
21	Lektion 2, Übung 16	2:02
22	Lektion 2, Ich kann …, Hören	0:23
23	Lektion 3, Übung 10	1:15
24	Lektion 3, Übung 15	0:57
25	Lektion 3, Übung 20	0:41
26	Lektion 3, Übung 21	0:32
27	Lektion 4, Übung 1	1:10

Titel	Lektion, Übung	Länge
28	Lektion 4, Übung 16	1:06
29	Lektion 4, Übung 18	0:34
30	Lektion 4, Ich kann …, Hören	0:34
31	Lektion 5, Übung 12	1:14
32	Lektion 5, Übung 15	1:01
33	Lektion 5, Übung 22	0:36
34	Lektion 6, Übung 6	1:10
35	Lektion 6, Übung 21	1:00
36	Lektion 6, Übung 23	0:48
37	Lektion 6, Ich kann …, Hören	1:01
38	Lektion 7, Übung 7	0:44
39	Lektion 7, Übung 21	0:51
40	Lektion 7, Übung 25	0:41
41	Lektion 8, Übung 2	0:39
42	Lektion 8, Übung 3	1:13
43	Lektion 8, Übung 13	2:04
44	Lektion 8, Übung 15	1:34
45	Lektion 8, Übung 26	0:40
46	Lektion 8, Ich kann …, Hören	0:35
47	Lektion 9, Übung 15	1:25
48	Lektion 9, Übung 18	0:29
49	Lektion 10, Übung 12	0:59
50	Lektion 10, Übung 16	1:19
51	Lektion 10, Übung 19	0:53
52	Lektion 10, Ich kann …, Hören	0:31
	gesamt:	**51:23**

Audio-CD Impressum

Sprecher: Julia Bär, Jonas Bolle, Natascha Kuch, Barbara Kysela, Henrik van Ypsilon
Tontechnik: Michael Vermathen
Produktion: Studio Networks S.r.l., Mailand (italienische Ausgabe),
Bauer Studios GmbH, Ludwigsburg (internationale Ausgabe)
Presswerk: optimal media production GmbH, Röbel